AMIZADE
AMIGOS E INIMIGOS
COMO IDENTIFICÁ-LOS

Platão | Cícero | Plutarco

AMIZADE

AMIGOS E INIMIGOS COMO IDENTIFICÁ-LOS

Tradução:
Duda Machado
e Renata Cordeiro

MADRAS®

Publicado originalmente em francês sob o título *Lettres, Platão, Laelius ou de Amicita, Cícero, Moralia, Plutarco*.
Direitos de tradução para todos os países de língua portuguesa.
© 2017, Madras Editora Ltda.

Editor:
Wagner Veneziani Costa

Produção e Capa:
Equipe Técnica Madras

Tradução:
Duda Machado: Plutarco
Renata Cordeiro: Cícero e Platão

Revisão:
Ana Paula Luccisano
Neuza Rosa
Arlete Genari

Dados Internacionais de Catalogação na Publicação (CIP)
(Câmara Brasileira do Livro, SP, Brasil)

Platão
Amizade: Amigos e inimigos : como identificá-los / Platão, Cícero, Plutarco ; tradução Duda Machado e Renata Cordeiro. -- São Paulo : Madras, 2017.
Título original: Lettres, Platão, Laelius ou de Amicita, Cícero, Moralia, Plutarco.
ISBN: 978-85-370-1082-2

1. Cícero - Crítica e interpretação 2. Filosofia antiga 3. Platão - Crítica e interpretação 4. Plutarco - Crítica e interpretação I. Cícero. II. Plutarco. III. Título.

17-06684   CDD-180

Índices para catálogo sistemático:
1. Filosofia grega antiga 180

Embora esta obra seja de domínio público, o mesmo não ocorre com a sua tradução, cujos direitos pertencem à Madras Editora, assim como a adaptação e a coordenação da obra. Fica, portanto, proibida a reprodução total ou parcial desta obra, de qualquer forma ou por qualquer meio eletrônico, mecânico, inclusive por meio de processos xerográficos, incluindo ainda o uso da internet, sem a permissão expressa da Madras Editora, na pessoa de seu editor (Lei nº 9.610, de 19.2.98).

Todos os direitos desta edição, em língua portuguesa, reservados pela

MADRAS EDITORA LTDA.
Rua Paulo Gonçalves, 88 – Santana
CEP: 02403-020 – São Paulo/SP
Caixa Postal 12183 – CEP: 02013-970
Tel.: (11) 2281-5555 – Fax: (11) 2959-3090
www.madras.com.br

Índice

Nota do Editor 7
PLATÃO: CARTA AOS AMIGOS (CARTA VII)
   Carta aos Amigos 11
   Amarga Utopia 41
   Vida de Platão 47
CÍCERO: LÉLIO OU A AMIZADE
   Da Amizade em Roma 106
   Vida de Cícero 112
   Referências Bibliográficas 115
PLUTARCO: AMIGOS E INIMIGOS: COMO IDENTIFICÁ-LOS
   Amigos e Inimigos: Como Identificá-los 118
   Sobre a Maneira de Distinguir o Adulador do Amigo 134
   Vida de Plutarco 189

Nota do Editor

Reunir num único volume três filósofos com visões diferentes da amizade em épocas distintas, mas que estão dentro do pensamento antigo, é para nós, no século XXI, uma prova de que os valores morais sempre foram parte preocupante da humanidade. Ao leitor, deixamos a interpretação para cada um dos textos. Boa leitura!

PLATÃO

CARTA AOS AMIGOS
(CARTA VII)

Carta aos Amigos

Platão aos familiares e aos partidários de Díon,[1]
Bom êxito!

Devo estar bem seguro, escreveram-me vocês, de que as suas ideias são as mesmas que as de Díon, e me pedem para ajudá-los, tanto quanto possível, em atos e em palavras.

É esta a minha resposta: se realmente os seus pensamentos e intenções são os mesmos que os dele, quero mesmo ser seu aliado; caso contrário, tenho que refletir muito. Quanto aos pensamentos e aos projetos de Díon, posso expô-los a vocês, não por conjecturas, mas com certeza.

Quando cheguei pela primeira vez a Siracusa, com cerca de 40 anos, Díon tinha a idade que tem agora Hipparinos,[2] e a opinião que ele tinha naquela época, sempre a manteve. Ele achava que os siracusianos deviam ser livres e governar a si próprios segundo as melhores leis. Portanto, não

---
1. Díon, filho de um primeiro Hipparinos, era aliado de Dionísio, o Ancião, tirano de Siracusa, sendo o irmão da sua segunda esposa, a siracusiana Aristômaca. Platão o conheceu por ocasião da sua primeira viagem à Sicília; era, então, um rapaz. Na época em que Platão redige a *Carta VII*, ele é assassinado, com cerca de 55 anos, depois de ter conduzido uma expedição militar para destituir Dionísio, o Jovem, filho de Dionísio, o Ancião, que o mandara exilar no Peloponeso e lhe confiscara os bens.
2. O Hipparinos de que se trata aqui, segundo essa genealogia, é, de acordo com toda verossimilhança, o sobrinho de Díon, filho de Dionísio, o Ancião, e dessa mesma Aristômaca, por conseguinte o meio-irmão de Dionísio, o Jovem. Na época em que Platão redige a *Carta VII*, ele tem cerca de 20 anos. Após a morte do seu tio Díon, ele organizara um exército para retomar Siracusa de Calipo, que de lá expulsara Dionísio, o Jovem, e organizara o assassinato de Díon.

se deve surpreender que um deus tenha inspirado a Hipparinos ideias conformes às de Díon sobre a maneira de conceber a organização política.

Qual foi a gênese dessas ideias? Isso merece ser compreendido pelos jovens e velhos. Vou, portanto, tentar relatá-la desde o início; as circunstâncias atuais se prestam a tanto.

No tempo da minha juventude, eu tinha as mesmas paixões que muitos jovens. Imaginava que logo que me tornasse o dono de mim mesmo, eu me ocuparia dos negócios da cidade. Ora, vejam em que situação encontrei esses negócios:

Como muitos criticavam o governo de então, eclodiu uma revolução. Puseram-se 51 homens no comando do novo governo, onze na cidade, dez no Pireu, ocupando-se essas duas seções do mercado e de tudo o que se relaciona à administração das cidades; os outros trinta foram investidos da autoridade suprema, com poder absoluto. Ocorre que eu tinha entre estes últimos parentes e conhecidos; logo, eles me chamaram para me oferecer um emprego que pensavam que me convinha. Eu tinha, na época, ilusões que, dada a minha juventude, não tinham nada de surpreendente. Imaginava que aqueles homens iam governar a cidade, conduzindo-a de um caminho injusto para um caminho justo. Estava, portanto, muito curioso para ver o que fariam. Ocorre que vi, que em pouco tempo, eles tinham dado uma roupagem de idade de ouro ao regime político precedente. Além das suas outras violências, eles atribuíram culpas a Sócrates, esse velho amigo acerca de quem eu não enrubesceria de dizer que era o homem mais justo daquela época: haviam-no mandado, com outros, capturar um cidadão e trazê-lo à força para matá-lo, com o objetivo evidente de torná-lo, de boa ou má vontade, cúmplice das suas ações.

Sócrates, porém, se recusou a obedecer e preferiu expor-se a todos os perigos a associar-se às suas obras celeradas. Observando todos esses fatos e outros do mesmo tipo, não menos graves, fiquei indignado e me mantive afastado dos crimes que se perpetravam. Mas os Trinta foram logo derrubados, e com eles todo o seu regime.

De novo, porém mais molemente, voltou-me o desejo de me ocupar dos negócios públicos e da política. Viram-se ainda naquele tempo – tempo tão conturbado! – muitas coisas revoltantes: aliás, não há nada de surpreendente no fato de que, numa revolução, a hostilidade de uns contra outros provoca horríveis vinganças. No entanto, os exilados que retornaram, então, deram prova de grande moderação.

Mas eis que, não sei por qual infortúnio, pessoas poderosas traem diante dos tribunais esse mesmo Sócrates, lançando contra ele a acusação mais ímpia; a que, de todas, se aplicava menos a Sócrates. Pois foi como ímpio que alguns o perseguiram, que os outros o condenaram e levaram à morte aquele que, recentemente, recusara participar da prisão escandalosa de um dos seus amigos então acusados, quando eles próprios sofriam os infortúnios do exílio.

Vendo isso e observando os homens que conduziam a política, quanto mais eu examinava as leis e os costumes e ficava mais velho, mais me parecia difícil administrar corretamente os negócios da cidade; pois não era possível fazê-lo sem amigos e sem partidários fiéis – ora, não era fácil encontrá-los ao alcance das mãos, porque a nossa cidade não era mais administrada segundo os usos e costumes dos nossos ancestrais – e não era possível adquirir novos amigos sem muito empenho. Ademais, as leis escritas e os costumes se corrompiam e o mal fazia progressos tão enormes que eu mesmo, tomado a princípio por uma grande vontade de me ocupar dos negócios públicos, ao considerar essa situação e ao ver que tudo ia à deriva, acabei por ser tomado pela vertigem, sem deixar, no entanto, de procurar os meios de melhorar essa situação e o regime político no seu conjunto, mas esperando sempre o bom momento para agir.

Acabei por compreender que todas as cidades atuais, sem exceção, são mal governadas; que a sua legislação é quase incurável sem uma reorganização extraordinária, ajudada pela sorte.

Foi o que me levou a dizer, num elogio à verdadeira filosofia, que é por meio dela que é possível discernir tudo o que é justo nos negócios da cidade, bem como nos dos indivíduos, e que, por conseguinte, a espécie humana não porá fim nos seus males antes que a espécie daqueles que se dedicam à filosofia na retidão e na verdade alcance o poder, ou antes que aqueles que exercem o poder nas cidades se dediquem verdadeiramente, por favor divino, à filosofia.

Foi com essas ideias que cheguei, pela primeira vez, à Itália e à Sicília. Mas não senti gosto algum pela vida que chamavam de feliz nessas regiões, cheia de mesas servidas à moda da Itália e de Siracusa; essa vida em que nos empanturramos duas vezes por dia e nunca nos vemos sozinhos na cama à noite, com tudo o que se segue. São costumes que jamais permitirão a homem algum do mundo que os tiver seguido desde a infância tornar-se sábio, por mais admiráveis que sejam as suas disposições naturais, e menos ainda se tornar um dia temperante; diria o mesmo acerca das outras virtudes. Do mesmo modo, nenhuma cidade poderá saber o que é tranquilidade, ainda que regida por leis estritas, se os cidadãos imaginam que é preciso gastar desmesuradamente e acham que só é necessário fazer boa comida e beber, consagrando toda a sua energia nas suas buscas amorosas. Cidades desse tipo, forçosamente, não param de passar por todas as formas de governo: tirania, oligarquia e democracia, e os homens no poder não aguentam ouvir falar de um governo justo, em que a lei seria a mesma para todos.

Eram essas, portanto, as reflexões que eu fazia, além das precedentes, durante a minha viagem a Siracusa. É um acaso? No entanto, parece-me que um poder superior se empenhava, então, em preparar os males que acabam de acontecer a Díon e aos siracusianos. Se não seguirem agora os conselhos que lhes dou pela segunda vez, é preciso temer males ainda piores.

Mas por que dizer que tudo isso teve por ponto de partida a minha chegada à Sicília? Nas minhas relações com Díon, que ainda era jovem, desenvolvendo para ele os meus pontos de vista sobre o que me parecia o melhor para os homens e comprometendo-me a realizá-los, corro o grande risco de não me haver dado conta de que trabalhava inconscientemente, de certa forma, para a queda da tirania. Pois Díon, muito aberto a todas as coisas e especialmente aos discursos que eu lhe fazia, me compreendia admiravelmente, melhor do que todos os jovens que já frequentei. Ele decidiu, então, doravante, levar uma vida diferente daquela da maioria dos italianos ou dos sicilianos, dando muito mais importância à virtude do que a uma existência de prazeres e sensualidade. A sua atitude se tornou, dessa forma, cada vez mais odiosa aos partidários do regime tirânico, e isso até a morte de Dionísio, o Ancião.[3]

---

[3]. Dionísio, o Ancião (c. 430-367 a.C.), reinou durante 38 anos sobre Siracusa, de 405 a 367 a.C. Após uma expedição contra as posições dos cartagineses na Sicília, ele se havia feito nomear "estrategista investido dos poderes absolutos". Estabeleceu um poder a um só tempo tirânico,

Depois, ele decidiu não guardar só para si os sentimentos que lhe havia propiciado adquirir a verdadeira filosofia. Constatou, ademais, que outros espíritos os haviam adquirido, poucos sem dúvida, mas alguns; e acreditou que o jovem Dionísio, com a ajuda dos deuses, poderia ser em breve um deles: se Dionísio estivesse tomando, por sua vez, por semelhante estado de espírito, disso resultaria uma vida inacreditavelmente feliz para ele e para todos os siracusianos. Díon julgou que, de qualquer modo, eu devia ir o mais rápido possível a Siracusa para cooperar nos seus projetos, pois ele não se esquecia do quanto a nossa relação lhe havia dado rapidamente o desejo da vida bela e feliz. Se ele inspirava agora, como se esforçava para isso, esse mesmo desejo a Dionísio, tinha a maior esperança de estabelecer uma vida boa e verdadeira em toda a região, sem massacres, sem assassínios, sem todos esses males que se produzem atualmente.

Cheio de pensamentos justos, Díon persuadiu Dionísio a me chamar, e ele próprio me mandou pedir que viesse o mais rápido possível, por qualquer meio, antes que outras influências se exercessem sobre Dionísio para comprometê-lo numa existência distanciada da vida perfeita. Eram essas as suas súplicas, terei de ser um pouco longo:

– Que ocasião melhor, dizia ele, esperaríamos do que a que nos oferece neste momento o favor divino?

Ele representava para mim esse império da Itália e da Sicília, o poder que ele próprio ali possuía, a juventude de Dionísio, o seu gosto acentuado pela filosofia e pela ciência, os seus sobrinhos e familiares tão fáceis de ganhar para a doutrina e para a vida que eu não parava de apregoar, prontíssimos para pressionar Dionísio. Em suma, agora era o momento de concretizar a esperança de realizar a união nos mesmos

---

demagógico e militar, confiscando os bens dos ricos, libertando provisoriamente os escravos deles para garantir maioria na Assembleia, estabelecendo um palácio-cidadela na ilha de Ortígia com um arsenal que podia comportar 60 trirremes, e apoiando-se num exército de mercenários. Dionísio, o Jovem (morto em 344 a.C.), é o filho mais velho do primeiro casamento de Dionísio, o Ancião, com Dóris, originária de Locres (Itália do Sul), que Dionísio, o Ancião, teria mandado matar, depois de tê-la acusado de empregar filtros para tornar a sua segunda esposa estéril. Ele sucedeu, com aproximadamente 30 anos, Dionísio, o Ancião, após obter um voto de confiança da Assembleia, contra o desejo de Díon que lhe preferia o segundo Hipparinos (cf. nota 2), filho da esposa siracusiana do antigo tirano, a irmã de Díon.

homens da filosofia e da conduta das grandes cidades. Tais eram as suas súplicas, e muitas outras do mesmo tipo.

No que me dizia respeito, de um lado eu não estava despreocupado sobre o que aconteceria um dia com aquelas pessoas jovens, pois as paixões da juventude são bruscas e mudam com frequência; de outro, eu sabia que Díon tinha um caráter naturalmente grave e já estava na idade madura. Como eu refletia, perguntando-me se devia ou não me pôr a caminho e responder ao seu apelo, o que me fez pender a balança foi a ideia de que se nunca havia sido possível empreender a realização dos meus planos legislativos e políticos, era chegado o momento de tentar. Bastava convencer suficientemente um único homem, e tudo estava ganho.

Nessas disposições de espírito, aventurei-me a partir. Não fora, certamente, levado a fazê-lo pelos motivos que alguns imaginam, mas eu tinha sobretudo vergonha de passar aos meus próprios olhos como um belo falador que não quer pôr mãos à obra, e, antes de mais nada, trair a hospitalidade e a amizade de Díon no momento em que ele corria perigos bastante sérios. Se lhe acontecesse realmente algum infortúnio, se, expulso por Dionísio e pelos seus outros adversários, ele viesse refugiar-se na minha casa, dizendo-me:

– Platão, venho a ti como proscrito. Não foram nem os infantes, nem os cavaleiros que me faltaram para me defender dos meus inimigos, mas esses discursos persuasivos pelos quais, eu o sabia melhor do que ninguém, você pode levar os jovens ao bem e à justiça, estabelecendo entre eles a amizade e a solidariedade. Isso me faltou por culpa sua. É por isso que acabo de deixar Siracusa e estou aqui. Contudo, a minha sorte é para você o menor motivo de vergonha: mas essa filosofia de que você fazia sempre o elogio, que pretende desprezada pelo restante dos homens, não a traiu você hoje ao mesmo tempo que eu, na medida em que dependia de você? Certamente, se morássemos em Mégara, você com certeza atenderia ao meu apelo de trazer-me ajuda, ou então seria julgado o último dos homens. E agora, acha que invocando a extensão da viagem, a importância da travessia e o cansaço, poderá escapar no futuro de ser censurado por covardia? Longe disso!

A que tipo de censura, que resposta válida poderia eu dar? Portanto, parti por motivos razoáveis e justos tanto quanto é possível a um homem, abandonando ocupações bastante honrosas,[4] para vir viver sob uma tirania que não parecia convir nem às minhas ideias, nem à minha pessoa. Vindo até vocês, eu ficava quites com Zeus hospitaleiro e libertava de censuras o filósofo, que teria sido objeto de opróbrios se eu me houvesse desonrado pelo gosto do conforto e por pusilanimidade.

À minha chegada – devo evitar alongar-me – encontrei o séquito de Dionísio em meio à confusão, e Díon caluniado junto dele. Eu o defendi com todo o meu poder, mas esse poder era mínimo, e ainda não se tinham passado três meses que Dionísio, acusando Díon de conspirar contra a tirania, o mandara embarcar num pequeno navio e o banira vergonhosamente. Depois disso, nós, os amigos de Díon, temíamos ver algum de nós inculpado e castigado como cúmplice do seu complô. Correu o boato em Siracusa que Dionísio me havia mandado matar, por eu ser a causa de tudo o que acabava de acontecer. Porém, Dionísio, que nos via assim avisados, temendo que os nossos receios engendrassem atos mais graves, nos tratava a todos com benevolência, e a mim em particular; ele me comprometia a ver confiança e me pedia que ficasse a qualquer preço, pois se eu o deixasse, disso não resultaria nenhum bem para ele, mas aconteceria tudo ao contrário caso eu ficasse. É por isso que ele afetava suplicar-me com tanta insistência.

Porém, sabemos com que obrigações estão misturadas as súplicas dos tiranos. Dionísio havia arrumado tudo muito bem para me impedir de embarcar, mandando-me levar e instalar nessa cidadela de que nenhum capitão de navio me faria sair, não digo contra a vontade de Dionísio, mas mesmo sem ter recebido dele a ordem expressa. Aliás, nenhum dos viajantes ou dos chefes postos nas fronteiras, ao me surpreender saindo sozinho da região, não deixaria logo de deter-me e levar de volta a Dionísio; porque este espalhava então um novo boato, contrário ao precedente, segundo o qual havia sido tomado por uma afeição extraordinária por Platão.

---

4. Entre a sua primeira e a sua segunda viagem à Sicília, por volta de 387 a.C., Platão fundou a Academia, primeira universidade da Antiguidade. Ele a administrava e nela lecionava seu ensino filosófico.

Que era ele de fato? É preciso dizer a verdade. Quanto mais o tempo passava, mais a sua afeição aumentava, à medida que ele se habituava aos meus modos e ao meu caráter; porém, ele queria que eu o estimasse mais do que Díon e que o considerasse um amigo bem mais caro. A insistência que punha nessa vitória era surpreendente, mas ele hesitava a tomar, para tanto, o meio mais seguro, se quisesse: frequentar-me como discípulo e ouvinte do meu ensino filosófico. Segundo o que diziam os seus caluniadores, ele temia que a sua autoridade diminuísse, e que tudo isso não passasse de uma manobra de Díon.

Quanto a mim, eu suportava tudo, apegado à intenção pela qual eu viera, na esperança de que o desejo de uma vida filosófica lhe tomasse conta. Todavia, as resistências foram mais fortes.

Portanto, foi assim que se passou o primeiro período da minha chegada e estada na Sicília. Em seguida, parti, mas voltei mais uma vez, cedendo à insistência do jovem Dionísio. O quão os meus motivos e todas as minhas razões foram sensatas e justas, eu lhes exporei mais tarde depois de aconselhá-los, primeiro, sobre o que é preciso fazer nas circunstâncias atuais – para responder aos que me perguntam quais foram as minhas intenções para vir de novo – evitando falar do acessório, como se fosse o essencial.

Escutem, portanto, o que tenho a dizer:

Quando damos conselhos a um homem doente que segue um regime ruim, o primeiro dever para fazê-lo recuperar a saúde é mudar o seu modo de vida. Se o doente aceita obedecer, é preciso fazer-lhe novas prescrições. Mas se ele se recusa a cuidar-se, pretendendo considerar um homem direito e um verdadeiro médico aquele que renuncia a dar-lhe novos conselhos, ao passo que aquele que se resigna a isso, eu não o tomo nem por homem nem por médico. O mesmo se aplica a uma cidade, quer tenha no seu comando um ou vários chefes: se segue o bom caminho de um governo e quer ser aconselhada sobre um ponto útil, é sensato dar-lhe esse conselho. Porém, no caso das cidades que se afastam em todos os pontos de uma legislação justa e que se recusam absolutamente a seguir-lhe os traços, que ordenam ao seu conselheiro deixar o seu regime tal e qual e nada mudar sob pena de morte, obrigando-o a tornar-se o servidor das suas vontades e dos seus caprichos ao lhe mostrar como tudo se lhes tornará no futuro mais cômodo e mais rápido, eu tomaria por vil o homem que se resignasse a tal papel, e por um verdadeiro homem aquele que se recusasse a representá-lo.

É isso o que penso, e quando alguém vem pedir-me conselho sobre um ponto muito importante da sua vida – quer se trate de dinheiro ou do cuidado do corpo ou da alma –, se o seu modo de vida me parece responder a algumas exigências, se parece pelo menos conformar-se às minhas prescrições naquilo que ele me pede, eu o aconselho com muito boa vontade e só me detenho depois de cumprir a minha tarefa. Mas se não me pedem nada, ou se está claro que não me escutarão o mínimo que seja, não vou por mim mesmo ir ao encontro de semelhantes pessoas e fazer-lhes violência, ainda que se tratasse do meu próprio filho. Com certeza, eu aconselharia o meu escravo, e se ele não seguisse os meus conselhos, eu lhos imporia. Mas um pai ou uma mãe, acho ímpio obrigá-los, salvo em caso de loucura. Se eles levam um tipo de vida que lhes apraz, e não a mim, não vou nem irritá-los em vão por meio de censuras, nem lisonjeá-los por intermédio de complacências que lhes permitam satisfazer desejos tais que, pessoalmente, eu não aceitaria viver acarinhando-os. É nessa disposição que deve viver o sábio, em relação à sua cidade. Se o seu regime político não lhe parece bom, que ele fale, mas só não deve falar em vão nem correr risco de vida. Mas que não use de violência para subverter o regime político da sua pátria, se for impossível melhorar esse regime sem banir e massacrar homens; é melhor, então, para ele, ficar tranquilo e rezar por si mesmo e pela cidade.

É assim que eu aconselharia vocês, e foi assim que, de combinação com Díon, eu engajava, acima de tudo, Dionísio a viver cada dia, tornando-se cada vez mais dono de si mesmo, em seguida a fazer amigos e partidários fiéis para evitar sofrer a mesma sorte que o pai dele. Este havia tomado na Sicília várias grandes cidades devastadas pelos bárbaros, mas, depois de tê-las colonizado, não foi capaz de nelas estabelecer um governo seguro nas mãos dos seus aliados, nem entre os estrangeiros de onde quer que viessem, nem entre os seus irmãos mais novos, que ele próprio educara: esses simples particulares, que ele tornara chefes, e esses pobres que ele dotara de uma riqueza prodigiosa.

Ele não conseguiu associar nenhum deles ao seu poder, nem pela persuasão, nem pela instrução, nem pelas suas benfeitorias, nem pelos laços de família; mostrou-se nisso sete vezes inferior a Dario que, depositando confiança em pessoas que não eram seus irmãos e que ele não educara, mas que eram aliados da sua vitória sobre o Eunuco medo,[5] lhes distribuiu sete partes do seu império, cada qual maior do que toda a Sicília. Encontrou neles aliados leais, e nunca adversários seja dele mesmo, seja uns dos outros, e deu, assim, o exemplo do que devia ser um bom legislador e um bom rei, ele que conservou o império persa até os nossos dias graças às leis que lá estabeleceu. Podemos compará-lo aos atenienses, que não haviam colonizado um bom número de cidades gregas invadidas pelos bárbaros, mas que as tinham tomado todas povoadas; no entanto, mantiveram o seu império sobre elas durante setenta anos porque tinham partidários em cada uma dessas cidades. Dionísio, o Ancião, ao contrário, depois de ter feito de toda a Sicília uma só cidade, achando mais sábio não confiar em ninguém, teve muitas dificuldades em se manter, porque lhe faltavam amigos e fiéis; ocorre que não há indício mais claro do vício e da virtude do que o fato de tê-los ou não.

Esses também eram conselhos que dávamos juntos, Díon e eu, ao jovem Dionísio, ele que se achava privado pela falta do pai da sociedade que a educação e as boas relações proporcionam. Nós o exortávamos a cuidar, primeiro, de fazer, entre os seus familiares e companheiros de idade, outros amigos que concordassem em procurar a virtude e, principalmente, a entrar num acordo com ele próprio: isso lhe faltava muitíssimo.

Não lhe falávamos tão diretamente – seria perigoso –, mas com palavras veladas, e nos esforçávamos para lhe mostrar que era o meio, para todo homem, de salvar a si próprio e àqueles que ele governa, e que ele alcançaria resultados exatamente inversos se agisse de outro modo. Se seguisse a via que lhe indicávamos, fazendo de si mesmo um homem consciencioso e prudente, ele reergueria as cidades devastadas da Sicília, as reuniria pelas leis e constituições que reforçariam a sua união mútua e o seu entendimento com ele, para resistir em comum aos bárbaros; ele não se limitaria a dobrar o reino do pai, mas na verdade o multiplicaria. Seria, então, muito mais capaz de submeter os

---

5. Eunuco medo, o mago Gaumata, usurpara com astúcia o poder na Pérsia. Dario, ajudado por seis outros príncipes, o mandara matar e fora proclamado rei, libertando o império persa da dominação dos medos.

cartagineses do que havia sido Gelon, em vez de pagar, como faz agora, o tributo que seu pai fora forçado a pagar aos bárbaros.

Eram essas as nossas proposições e conselhos, e achavam que nós, segundo os rumores que corriam de todos os lados, conspirávamos contra Dionísio; mas tais rumores prevaleceram na mente dele. Fizeram exilar Díon e nos mergulharam no temor.

Mas, para terminar o relato de uma multidão de acontecimentos que se seguiram em pouco tempo: Díon, de volta do Peloponeso e de Atenas, infligiu a Dionísio a lição dos atos. Entretanto, quando libertou a cidade, pela segunda vez, entregando-a a si mesma, os siracusianos o trataram como Dionísio o fizera. Enquanto Díon o havia instruído e formado para ser um rei digno do poder, tentando fazer dele um associado seu para a vida toda, Dionísio depositou a sua confiança nesses caluniadores que pretendiam que toda ação de Díon tendia a subverter a tirania.

Eles diziam que Díon esperava enfeitiçar Dionísio com essa educação, levando-o a desinteressar-se pelo poder e a confiar-lho, e que ele mesmo, Díon, pensava em apropriar-se desse poder por astúcia e desalojando Dionísio. Essas calúnias triunfaram de novo em Siracusa: triunfo absurdo e vergonhoso para aqueles que o forjaram.

Que aconteceu, então? É preciso que aqueles que hoje me pedem socorro o saibam. Eu, cidadão de Atenas, partidário de Díon e seu aliado, fui à casa do tirano com o objetivo de substituir o conflito pela amizade. Porém, combatido acirradamente por esses caluniadores, fracassei. No entanto, quando Dionísio procurou convencer-me, com honrarias e riquezas, a testemunhar a seu favor para justificar o exílio de Díon, foi ele quem fracassou por completo.

Mais tarde, quando voltou à sua terra, Díon trouxe de Atenas dois irmãos que se haviam tornado amigos seus, não por causa da filosofia, mas por essa solidariedade comum que forma a maior parte das amizades, e que repousa na hospitalidade ou em relações entre iniciados nos diferentes mistérios. Tais eram esses dois homens: haviam se tornado seus camaradas por esse tipo de relações e pela assistência que lhe prestaram para voltar à sua pátria.

Porém, mal haviam chegado à Sicília, assim que perceberam que Díon fora caluniado junto aos sicilianos – que ele próprio havia libertado –

sob o pretexto de que armava um complô para tomar o lugar do tirano, não apenas esses homens traíram o amigo e hospedeiro, mas também foram eles próprios, por assim dizer, os seus algozes, ajudando os assassinos, com armas nas mãos.

Esse crime vergonhoso e ímpio, eu não quero calar nem contar, pois muitos outros se deram ou se darão no futuro ao trabalho de celebrá-lo. Mas quando meditam sobre os atenienses, dizendo que esses dois homens cobriram a nossa cidade de vergonha, eu me revolto. Porque era também ateniense o homem que não traiu esse mesmo Díon, ao passo que ele podia assim proporcionar a si próprio riquezas e muitas outras honras. Mas, pois então: o que os unia não era uma amizade vulgar, era a comunidade criada por uma educação que convém a homens livres; é só nela que um homem inteligente deve confiar, em vez de confiar num parentesco de alma e de corpo. Portanto, não é justo que a nossa cidade seja desonrada por causa dos dois assassinos de Díon, como se alguma vez tivessem sido pessoas de valor.

Disse tudo isso para aconselhar os amigos e os familiares de Díon. Mas eu lhes repito o mesmo conselho e o mesmo aviso pela terceira vez ainda, a vocês, que são os terceiros que eu aconselho: o meu parecer é que nem a Sicília, nem nenhuma outra cidade deve ser sujeitada a déspotas, mas deve ser submetida a leis. Pois o despotismo não é bom nem para aqueles que lhe são sujeitados, nem para aqueles que sujeitam, nem para eles, nem para os seus filhos, nem para os filhos dos seus filhos. É ao contrário uma empresa sempre voltada ao desastre. Somente as almas cujo caráter é mesquinho e servil se lançam sobre tais vantagens, porque ignoram inteiramente o que é justo e bom para o futuro e para o presente, tanto entre os deuses quanto entre os homens.

Foi disso que tentei convencer primeiro Díon, em seguida Dionísio, e agora vocês, em terceiro lugar. Então, escutem-me, pelo amor de Zeus, terceiro salvador! E depois, vejam Dionísio e Díon. O primeiro, que não me escutou, vive hoje na vergonha, ao passo que aquele que me obedeceu encontrou uma bela morte. Pois a quem aspira ao melhor para si mesmo e para a sua cidade, embora tenha de sofrer, nada pode encontrar que não seja justo e belo. Ninguém entre nós é imortal, e se alguém se tornasse, não seria feliz, como a maioria imagina. Pois nada merece ser chamado bem, nem mal, se não tem alma, mas só o merece pela alma, quer esteja unida ao corpo, quer dele esteja separada. É preciso sempre crer nessas antigas e santas doutrinas que nos indicam que a alma é imortal, e que uma vez separada do corpo, é julgada e sofre terríveis castigos. É por isso que é necessário também considerar um mal menor sofrer grandes crimes ou grandes injustiças do que cometê-los. A essas doutrinas o homem ávido de riquezas e cuja alma é pobre não dá ouvidos e, se lhe acontece de ouvi-las, ele acha que deve rir; lança-se de todos os lados, sem pudor, como um animal selvagem, sobre tudo o que imagina ser bom de comer, de beber ou de saciar esse prazer servil e sem graça que se chama inapropriadamente o prazer de Afrodite, cego que não vê a que atos seus se apega a impiedade nem que mal está sempre ligado a cada qual dos seus crimes. Essa impiedade, a alma injusta a arrasta necessariamente consigo durante a sua estada na Terra, e em seguida sob a terra, num ciclo em todos os pontos vergonhoso e miserável.

Foi por esses discursos e por outros do mesmo tipo que persuadi Díon. Tenho as mais justas razões para querer mal àqueles que o fizeram perecer, muito semelhantes àquelas que tenho para querer mal a Dionísio. Eles e ele me causaram o maior dano; não somente a mim, eu ousaria dizer, mas a toda a humanidade. Os primeiros mataram um homem que queria praticar a justiça, e o segundo se recusou terminantemente a praticá-la durante todo o seu reinado, quando ele tinha o poder supremo. Se houvesse realizado no decurso desse reinado a união da filosofia com o poder, teria feito explodir aos olhos de todos, gregos e bárbaros, e teria imprimido profundamente em todos os espíritos essa opinião verdadeira segundo a qual não há felicidade nem para uma cidade nem para os indivíduos, se eles não levam toda uma vida de sabedoria, governada pela justiça, quer possuam naturalmente essas virtudes, quer tenham sido educados e instruídos de maneira justa por mestres piedosos.

Foi esse o mal que Dionísio fez. O dano que ele causou, ademais, conta pouco para mim, comparado a esse. Mas o assassino de Díon, sem saber, provocou o mesmo dano que Dionísio. Díon, tenho certeza, tanto quanto um homem pode responder a outro, se tivesse tido o poder, jamais o teria exercido de um modo diferente deste. Ele teria, primeiro, libertado

Siracusa, sua pátria, da servidão, e depois de lavá-la da imundície, a teria vestido como uma mulher livre; em seguida, teria acionado todos os meios para dar como ornamento aos cidadãos as melhores e mais bem adaptadas leis. A seguir, teria tomado a peito colonizar toda a Sicília e libertá-la dos bárbaros, expulsando uns e submetendo os outros mais facilmente do que Hieronte. Uma vez realizado tudo isso por um homem a um só tempo justo, corajoso, temperante e filósofo, essa concepção da virtude teria conquistado a maior parte das pessoas e, se Dionísio se tivesse deixado convencer, elas o teriam salvo. Mas algum demônio ou alguma divindade vingadora desencadeou o desprezo pelas leis e pelos deuses, e sobretudo a ignorância temerária em que todos os males tomam raiz, depois cruzam e produzem os mais amargos frutos para quem os produziu: foi essa divindade que, pela segunda vez, tudo subverteu e arruinou.

Mas só pronunciemos agora palavras de bom augúrio para evitar, pela terceira vez, maus presságios. De qualquer modo, eu os aconselho, amigos de Díon, a imitar o seu amor pela pátria e a sabedoria do seu regime, e tentar realizar, sob melhores auspícios, os seus desejos – que eu claramente lhes expus. Se algum de vocês não pode viver como os seus ancestrais, à maneira dórica, mas segue o tipo de vida dos assassinos de Díon e os costumes dos sicilianos, não lhe peça nunca ajuda e não ache que ele possa, um dia, agir de modo leal e são. Quanto aos outros, chamem-nos para colonizar toda a Sicília e para aí viver sob leis iguais para todos, quer venham da Sicília mesmo ou de alguma parte do Peloponeso. Tampouco temam Atenas, pois também lá há homens que ultrapassam todos os outros em virtude e que odeiam a impudência daqueles que assassinam os seus hospedeiros.

Mas se tudo isso demorar, se vocês estiverem premidos por contínuas dissensões a erguer-se todos os dias entre facções, todo homem a quem um favor divino deu uma parcela de opinião reta deve compreender que as lutas partidárias não verão cessar os males enquanto os vencedores não renunciarem a exercer represálias por meio de batalhas, de banimentos e de execuções, e a se vingarem dos seus adversários. Que tenham autodomínio suficiente para estabelecer leis comuns que satisfaçam os vencidos tanto quanto eles próprios, e que forcem os vencidos a observar essas leis por dois meios de coerção: o respeito e o medo. O medo, ao mostrar a superioridade da sua força, o respeito, ao mostrar que eles os dominam também pela moderação dos seus desejos, e pela sua vontade e capacidade de submeter-se às leis. Não há outra saída possível para os males de uma cidade internamente dividida: as dissensões, as inimizades, os ódios e as desconfianças renascem constantemente dentro desse tipo de cidade.

Portanto, é preciso sempre que os vencedores, se querem garantir a sanidade pública, escolham entre os gregos que sabem que são os melhores, de preferência homens de idade com mulheres e filhos, providos de ancestrais tão numerosos, tão virtuosos e tão ilustres quanto possível, bem como de uma fortuna suficiente. Para uma cidade de cerca de dez mil habitantes, cinquenta cidadãos dessa qualidade bastariam.

É preciso chamar esses homens com súplicas e honras consideráveis e, quando eles vierem, depois de prestarem juramento, é preciso pedir-lhes e obrigá-los a fazer leis que não favoreçam nem os vencedores, nem os vencidos, mas que fundem a igualdade e a comunidade em toda a cidade. Uma vez estabelecidas essas leis, tudo depende desta condição: se os vencedores se mostrarem mais submetidos às leis do que os vencidos, saúde e felicidade reinarão, e todos os males desaparecerão. Caso contrário, não apelem nem a mim nem a ninguém para colaborar com pessoas que se recusam a seguir esses conselhos.

Esse plano é o irmão daquele que Díon e eu, querendo o bem de Siracusa, tínhamos tentado realizar juntos, e que já era o segundo. O primeiro era aquele que havíamos tentado realizar com o próprio Dionísio, para o bem de todos. Mas alguma fatalidade mais forte do que os homens o quebrou. Vocês, agora, tentem ter melhor êxito com esse último plano, ajudados pela sorte e pelo favor divino.

Eis os conselhos e as recomendações que lhes envio, com o relato da minha primeira viagem ao encontro de Dionísio.

Quanto à minha segunda viagem e à travessia seguinte, aqueles a quem isso interessa vão agora poder saber as justas razões que me determinaram a fazê-la.

O primeiro período da minha estada na Sicília se passou como lhes contei, antes de dar os meus conselhos aos familiares e aos amigos de

Díon. Na sequência, utilizei todos os meios para convencer Dionísio a me deixar partir – mas naquele momento a guerra devastava a Sicília – e ambos assumimos esse compromisso mútuo para o momento em que a paz fosse concluída. Dionísio declarou que nos chamaria, a Díon e a mim, quando houvesse fortalecido o seu poder, e pediu a Díon que não considerasse o seu distanciamento um exílio, mas um simples deslocamento.

Comprometi-me a voltar sob essas condições. Mas quando a paz foi concluída, enquanto Dionísio me mandava buscar, rogava a Díon que esperasse ainda um ano. Quanto a mim, ele pedia que eu viesse assim mesmo, e ocorre que um burburinho insistente circulava, segundo o qual Dionísio fora tomado por uma paixão maravilhosa pela filosofia. Foi por isso que Díon me pressionava tão fortemente a não me furtar ao seu apelo. No que me diz respeito, eu sabia muito bem que, geralmente, os jovens têm semelhantes entusiasmos pela filosofia. Pareceu-me mais certo não escutar por ora nem Díon nem Dionísio, e eu enfadava a ambos respondendo que estava velho, e que nada do que fora feito correspondia ao acordo passado.

Foi, portanto, na sequência dessa recusa, parece, que Arquitas[6] foi à casa de Dionísio; pois antes de ir-me embora, eu tinha posto Arquitas e a gente de Tarento em relação de hospitalidade e amizade com Dionísio.

Havia também em Siracusa pessoas que tinham escutado algumas conversas de Díon, e algumas dessas pessoas se haviam empanturrado de fórmulas filosóficas mal compreendidas. Acho que tentaram discuti-las com Dionísio, persuadidas de que eu lhe havia ensinado toda a minha doutrina. Ele, a quem, aliás, não falta aptidão para captar o que lhe ensinam, é também prodigiosamente vaidoso. Talvez até tivesse tomado prazer por essas discussões, e enrubescia ao mostrar que não havia aprendido nada durante a minha estada. Foi por isso que foi assaltado pelo desejo de me ouvir, para receber precisões sobre a minha doutrina, mas era levado a isso por vaidade. Por que não me havia escutado por ocasião da minha primeira estada, eu lhes expliquei há pouco. Como voltara para casa são e salvo e me recusava – acabo de lhes dizer isso – a ir ao seu segundo apelo, acho que a vaidade suscitou em Dionísio

---

6. Arquitas – filósofo pitagórico, matemático, estrategista e governador de Tarento (sul da Itália) – representava o modelo do filósofo-governante, exposto por Platão em *A República*.

o temor de que pensassem que eu o desprezava, depois de ter visto a sua natureza, as suas disposições e o seu gênero de vida, e que eu não queria voltar porque estava farto dele.

É justo que eu diga a verdade, estando sujeito a suportar que alguém, após esse relato, venha a desdenhar a minha filosofia e a considerar o tirano um homem de espírito.

Dionísio, renovando pela terceira vez as suas instâncias, enviou-me um trirreme para facilitar a viagem. Enviou-me, outrossim, Arquêdemes, um dos discípulos de Arquitas que ele pensava que era o siciliano que eu mais estimava, e alguns outros notáveis da Sicília. Todas essas pessoas me traziam a mesma novidade: que Dionísio havia feito maravilhosos progressos em filosofia. Fez-me ele também chegar uma longuíssima carta, conhecendo os meus sentimentos por Díon, e o desejo que este tinha de me ver embarcar e partir para Siracusa. A sua carta, composta levando-se em conta tudo isso, começava mais ou menos assim: "Dionísio a Platão". Após as fórmulas de saudação usuais, acrescentava logo: "Se você se deixar convencer por nós a vir agora à Sicília, os negócios de Díon se arranjarão como você deseja, pois tenho certeza de que só fará pedidos razoáveis, e eu lhos concederei. Caso contrário, nenhum dos negócios acerca da pessoa dele ou dos seus interesses será regulamentado segundo os seus desejos".

Eis o que ele me dizia, e em que termos. Quanto ao restante, seria longo demais e fora de propósito relatar.

Eu recebia também outras cartas de Arquitas e dos tarentinos, que louvavam o amor de Dionísio pela filosofia, acrescentando que, se eu não chegasse agora, destruiria inteiramente esses laços de amizade que eu tinha dado entre eles e Dionísio, que não eram de menor importância do ponto de vista político.

Enquanto eu era assaltado por semelhantes solicitações, que me chamavam da Sicília e da Itália, enquanto me empurravam para fora de Atenas com tantos rogos, o mesmo argumento voltava, que não devia trair Díon, nem os meus hospedeiros e os amigos de Tarento. Cheguei até mesmo a pensar que não havia nada de surpreendente no fato de um rapaz bem-dotado, que ouvira tratar de temas importantes, apaixonar-se pela vida perfeita. Portanto, era necessário ver claramente de que realmente se tratava, não trair essa espera e não correr o risco de uma gravíssima repreensão, se o que diziam era verdade.

Cegado por esse raciocínio, pus-me a caminho, com muita apreensão e pressentimentos pouco favoráveis. De qualquer modo, já que fiz essa viagem, fui bem-sucedido em pelo menos uma coisa: a terceira libação a Zeus salvador. Tive a oportunidade de ser salvo mais uma vez e, depois do deus, é a Dionísio que devo a minha salvação; pois quando muitos queriam a minha perda, ele se opôs a isso, mostrando algum respeito por mim.

À minha chegada, a primeira coisa que achei que devia fazer foi assegurar-me de se Dionísio realmente ardia pela filosofia, ou se o barulho insistente que chegara a Atenas não tinha fundamento. Ora, para fazer essa prova, há um procedimento que não tem nada de vergonhoso, e que convém perfeitamente aos tiranos, sobretudo quando eles estão abarrotados de doutrinas mal compreendidas, como era o caso de Dionísio: percebi isso logo que cheguei. Às pessoas dessa espécie, é necessário mostrar o quão essa prática é vasta, qual é a sua natureza, quais dificuldades apresenta e que trabalho exige. Assim advertido, aquele que é realmente filósofo, que tem aptidões por essa prática e que é digno dela porque ele é de natureza divina, pensa que lhe falaram de uma via maravilhosa, se persuade de que é preciso imediatamente se engajar na filosofia com todas as suas forças, e que não é possível viver de outra forma. Em seguida, uma vez ele próprio nela engajado, seguindo o seu guia, não relaxa o seu esforço antes de atingir o seu objetivo final, ou de adquirir capacidade suficiente para avançar sozinho, sem guia.

É nesse estado de espírito que vive esse tipo de homem. Ele se dedica, sem dúvida, aos seus outros negócios, mas fica sempre apegado à filosofia e ao regime cotidiano que o tornará mais capaz de aprender, de reter e de raciocinar, mantendo a sobriedade. Todo regime contrário ao seu não para de lhe inspirar ódio.

Mas aqueles que não são realmente filósofos e que só têm um verniz de opiniões, como essas pessoas cujo corpo bronzeou ao sol, quando veem que têm tanto a aprender, tanto a trabalhar, e que esse regime de vida cotidiano é o único que convém a esse negócio, aqueles lá julgam que semelhante estudo é difícil, impossível, e se tornam, assim, incapazes de prossegui-lo. Alguns deles se persuadem de que possuem o sistema no seu conjunto e que não precisam mais se cansar. Eis a mais clara e a mais segura experiência para reconhecer os que vivem na moleza e que são incapazes de se dar ao trabalho. Só podem acusar a si mesmos e não aquele que lhes mostrou a via, se são incapazes de praticar tudo o que é necessário a essa atividade.

Era isso, portanto, o que eu expus a Dionísio. Não entrei em detalhes, e Dionísio não os pediu, pois pretendia saber muitas coisas, até mesmo as mais importantes, e possuir perfeitamente graça em razão dos trechos de ensino que recolhera de outros mestres.

Na sequência, foi-me dito que ele próprio escrevera um tratado sobre o que tinha aprendido, do qual se pretende o autor, e que não devia nada ao ensino recebido. Não sei nada ao certo a respeito disso. Sei que outros escreveram sobre esses mesmos assuntos, mas quem? Pessoas que não conhecem a si mesmas. Há, entretanto, uma coisa que posso afirmar acerca dos que escreveram ou que escreverão, declarando todos ter encontrado respostas para os problemas aos quais consagro os meus esforços, quer tenham ouvido falar disso por mim ou por outros, quer pretendam ter feitos eles próprios a respectiva descoberta, é que não é possível, pelo menos a meu ver, que tenham compreendido algo.

De mim, em todo caso, não existe e não existirá nenhum tratado sobre esse tema; pois isso não pode ser posto em fórmulas como os outros saberes. É em decorrência de uma longa assiduidade, de uma vida passada na meditação desses problemas, que isso jorra de repente na alma, e que se desenvolve, então, por si só.

Sei muito bem que se fosse preciso expor a minha doutrina por escrito ou oralmente, eu seria o mais apto a fazê-lo, mas sei também que se essa expressão escrita fosse defeituosa, seria eu quem sofreria mais.

Se eu tivesse acreditado que devia exprimir isso por escrito de um modo que convenha ao grande número e pô-lo em fórmulas, teria podido fazer na minha vida obra mais bela do que esta: escrever o que é tão útil à humanidade e revelar a todos a natureza das coisas? Mas não acho que desenvolver um tratado acerca disso seja uma boa coisa para os homens, exceto para o pequeno número daqueles que, a partir de um sutil indício, são capazes de encontrar por si próprios. Quanto aos outros, seriam cumulados absurdamente de um desprezo injustificado, ou da esperança altiva e vã de terem adquirido conhecimentos sublimes.

Porém, não quero estender-me mais longamente sobre essa questão. Talvez o que digo fique mais claro quando eu me houver explicado. Pois há uma verdadeira razão que se opõe a que se tente escrever o que quer que seja sobre essas matérias. Já a indiquei diversas vezes, mas parece que é preciso repeti-la ainda.

Acerca de cada um dos seres, há três elementos necessários para adquirir a sua ciência. A ciência é o quarto elemento, e é preciso pôr no quinto nível do conhecimento o próprio ser que deve ser conhecido, e que existe realmente.

O primeiro elemento é o nome, o segundo a definição, o terceiro a figura, o quarto a ciência. Para compreender o que eu disse, tomemos um exemplo e apliquemo-lo a tudo.

O círculo é algo de que falamos, que tem por nome a palavra que acabo de pronunciar. Em segundo lugar, possui a sua definição, que é composta de nomes e verbos: "aquilo cujas extremidades estão em todos os pontos à igual distância do centro", eis como se definiria o que chamamos redondo, circunferência, círculo. Em terceiro lugar, há o que desenhamos e apagamos, o que fabricamos em torno ou o que destruímos, ao passo que o próprio círculo, ao qual tudo se relaciona, não sofre nada disso, porque lhe é diferente. Em quarto lugar, há a ciência, a intelecção e o julgamento verdadeiro sobre as realidades, que é preciso considerar uma mesma categoria de seres porque não residem nem em sons, nem em figuras corporais, mas nas almas – pelo que é evidente que são de uma natureza diferente do próprio círculo e do que os três elementos precedentemente mencionados. É a intelecção que, pelo parentesco e pela semelhança, se aproxima mais do quinto grau; as outras representações estão mais distantes desse grau.

As mesmas distinções podem aplicar-se às figuras retilíneas ou curvas, às cores, ao bom, ao belo, ao justo, a todos os corpos fabricados ou naturais, ao fogo, à água e a todas as coisas do mesmo gênero, a todos os seres vivos, às qualidades da alma, a todas as espécies de ações e de paixões. Se não captarmos de uma forma ou de outra esses quatro elementos, não chegaremos jamais ao conhecimento do quinto.

Acrescentemos que esses quatro elementos tentam exprimir a qualidade de cada ser e a sua essência por meio desse instrumento defeituoso que é a linguagem. É por isso que nenhum homem sensato jamais se aventurará a confiar os seus pensamentos à linguagem, sobretudo quando é cristalizada, como são os caracteres escritos.

Mas voltemos ao que já dissemos, pois importa compreendê-lo bem. Cada círculo que é desenhado, ou contornado, está cheio daquilo que se opõe ao quinto elemento – pois todas as suas partes tocam na linha reta; mas, digamos, o círculo em si não contém nem muito nem pouco uma natureza oposta à sua.

Digamos, outrossim, que o nome desses seres não tem absolutamente nada de estável, que nada nos impede de chamar retas as linhas que chamamos curvas, e curvas as que chamamos retas, e que os nomes não seriam menos estáveis do que o são se os tivéssemos mudado, adotando o sentido contrário. Ocorre o mesmo com a definição, posto que, composta de nomes e de verbos, não tem absolutamente nada de estável. Mil razões provam a obscuridade de cada um desses quatro elementos. A mais forte delas é a que demos um pouco mais acima: destes dois princípios, a essência e a qualidade, o que a alma procura conhecer não é a qualidade, mas a essência. Acontece que cada um desses elementos apresenta à alma, nos raciocínios e nos fatos, o que ela não procura, dizendo-o ou mostrando-o – o que a sensação pode refutar facilmente –, portanto, não há, por assim dizer, ninguém que se ache assim repleto de dúvidas e de incertezas.

Além do mais, nas coisas em que comumente não procuramos nem mesmo a verdade em decorrência de uma má educação, contentando-nos com a primeira imagem que se apresenta, podemos interrogar e responder sem que uns se prestem a rir para os outros, porque somos capazes de despedaçar e refutar esses quatro elementos. Mas quando é preciso responder pelo quinto elemento e produzi-lo, qualquer um é capaz de refutar e se sai bem-sucedido facilmente, e pode induzir a maioria dos ouvintes a acreditar que aquele que expõe a sua doutrina por meio de discursos, escritos ou respostas, não sabe nada do que tenta escrever ou dizer. Nem sempre sabemos que o que refutamos é menos o espírito do escritor ou do orador do que a natureza, essencialmente defeituosa, de cada qual dos quatro elementos.

Mas de tanto submeter esses elementos à crítica, subindo e descendo de um a outro, produzimos a duras penas a ciência, quando o objeto e o espírito são ambos de boa qualidade. Se, pelo contrário, as disposições naturais não são boas, como é o caso da maioria, frente à ciência e daquilo a que chamamos costumes, ou se essas disposições se estragaram, nesse caso, não poderíamos ver, mesmo com os olhos de Linceu.

Numa palavra, se não temos afinidade com essa prática, nem a facilidade de espírito nem a memória darão a visão, pois essa visão não pode aparecer nas disposições alheias a essa atividade. Por conseguinte, aqueles que não têm nem apego natural nem afinidade com o justo e com tudo o que é belo – mesmo tendo a facilidade e a memória, uns para uma coisa, outros para outra – nem aqueles que possuem essa afinidade, mas que têm dificuldades de aprender e de reter, nenhum deles jamais aprenderá sobre a virtude nem sobre o vício toda a verdade que é possível conhecer. É, de fato, necessário aprender a um só tempo o falso e o verdadeiro sobre o ser na sua totalidade, consagrando a isso trabalhos de todos os tipos e muito tempo, como eu disse no começo. É quando esfregamos a duras penas uns contra os outros nomes, definições, figuras, sensações, quando discutimos nas trocas benévolas em que a vontade não dita nem as perguntas nem as respostas, que explode a luz da sabedoria e da inteligência, com toda a intensidade que podem suportar as forças humanas.

É por isso que todo homem sério, que se ocupa de assuntos realmente sérios, se absterá de escrever e de lançar o seu pensamento como pasto à inveja e à perplexidade do público. Concluamos brevemente: quando vemos composições escritas por um legislador sobre as leis, ou por outro sobre um tema qualquer, se o próprio autor fosse sério e não levou a sua obra muito a sério, deixou o seu pensamento fechado na mais bela parte de si mesmo. Mas se ele a houvesse realmente posto em caracteres escritos, como algo muito sério a seu ver, seria preciso dizer que mortais – em vez de deuses – lhe arruinaram o espírito por completo.[7]

---

7. Citação da *Ilíada* VI, 360, e XII, 234, de Homero.

Quem quer que tenha seguido esse relato e essa digressão compreenderá que se Dionísio, ou outro mais ou menos tão grande quanto ele, escreveu algo sobre os princípios primeiros da natureza, a meu ver, nada do que ele escreveu testemunha sãs lições e sãos estudos. Em outras palavras: ele teria o mesmo respeito que eu por essas ideias, e não ousaria entregá-las a uma publicidade inconveniente. Não seria para ajudar a sua memória que ele as poria por escrito, pois não corremos o risco de esquecê-las quando já as recebemos na alma: não há nada de mais simples. Seria mais por ambição desprezível que ele escreveria, seja dando a doutrina por sua, seja fingindo ter participado de um ensino de que ele não era digno, posto que só queria o renome ligado a essa participação. Teria Dionísio adquirido esse conhecimento graças à única conversa que tive com ele? Bem... Mas como? – "Zeus o sabe", como se diz em Tebas. Eu lhe expus a minha doutrina, como já disse, só uma vez, e nunca mais depois.

Se queremos saber como as coisas realmente aconteceram nessas circunstâncias, é preciso agora compreender por que razão não retomamos pela segunda, nem pela terceira, nem por nenhuma outra vez essa conversa. Após ouvir-me uma única vez, Dionísio achava que sabia o bastante, e sabia ele realmente o bastante, seja pelas suas próprias descobertas, seja pelas lições que recebera de outros mestres antes de mim? Ou julgava ele que o meu ensino tinha pouco interesse, ou ainda, terceira hipótese, não era ele capaz, e descobria a sua impotência em viver consagrando-se à sabedoria e à virtude? Se ele considerar a minha doutrina desprovida de interesse, terá contra si muitas testemunhas que afirmem o contrário e que são, nessa matéria, juízes muito mais competentes do que Dionísio. Se, em compensação, ele encontrou em si mesmo ou aprendeu essas ideias de outros, e se as julga, no entanto, dignas de servir à educação de uma alma livre, como, a menos que escape da humanidade comum, pôde ele desdenhar tão facilmente aquele que fora, nessa área, o seu guia e o seu mestre? Como o desdenhou, vou dizer-lhes.

Pouco tempo depois, ele que tinha até então deixado a Díon a posse dos seus bens e o gozo das suas rendas, proibiu aos seus administradores enviar essas rendas ao Peloponeso, como se houvesse completamente esquecido a sua carta. Dizia que aqueles bens não pertenciam a Díon, mas ao filho dele, que era seu sobrinho, e portanto ele era o seu tutor legal.

Foi essa a conduta de Dionísio até este ponto do meu relato. O andamento das coisas me permitia ver o que valia a paixão de Dionísio pela filosofia e, que, querendo ou não, eu tinha do que me indignar. Era verão e os navios saíam do porto. Então, eu pensava que tinha que lamentar Dionísio tanto quanto a mim mesmo e àqueles que me haviam forçado a enfrentar pela terceira vez o estreito de Scyla "para avaliar ainda o perigo mortal de Caribde",[8] mas que devia dizer a Dionísio que me era impossível ficar, enquanto Díon era ultrajado daquela forma. Rogou-me que ficasse, pensando que era perturbador para ele deixar-me partir tão rápido e levar semelhantes notícias. Como não me conseguia convencer, declarou que ele mesmo prepararia a minha viagem. Pois a minha ideia era embarcar num dos navios de partida, de tanta ira que eu sentia e de tão resolvido que estava a enfrentar tudo se me barrassem o caminho, já que era evidente que eu não estava errado, e que me barravam o caminho. Quando ele viu que eu me recusava terminantemente a ficar, eis o procedimento que imaginou para me reter durante o tempo em que os navios saíam. No dia seguinte a essa conversa, veio e me fez este discurso hábil:

– Entre mim e você – disse ele –, há Díon e os seus interesses, sobre os quais geralmente nos opomos. Livremo-nos desse obstáculo. Eis – acrescentou – o que tenho em mente fazer por Díon, em intenção a você. Uma vez que tenha retomado a posse dos seus bens, eu lhe pedirei que resida no Peloponeso, não como um homem banido, mas como alguém a quem é permitido voltar aqui quando ele, eu e você, seus amigos, fizermos um acordo. Tudo isso com a condição de que ele não conspire contra mim. É preciso que me responda sobre isso, vocês e os seus amigos, bem como os familiares de Díon, e que ele, por sua vez, lhe dê a garantia disso. Os bens que ele quiser tomar serão postos num depósito no Peloponeso e em Atenas, nas mãos daqueles que você escolher. Díon se beneficiará da renda, mas não poderá dispor do capital sem o seu consentimento. Eu próprio não confio o bastante nele para crer que se mostrará leal para comigo, dispondo de semelhantes riquezas, que são

---

8. Citação da *Odisseia* XII, 428, de Homero.

consideráveis; confio mais em você e nos seus. Veja, portanto, se isso lhe agrada, aceite sob essas condições ficar aqui este ano e, na próxima estação, parta levando os seus recursos. Tenho até mesmo certeza de que Díon lhe será muito reconhecedor por ter feito isso por ele.

Foi-me difícil escutar esse discurso; respondi, no entanto, que refletiria e lhe daria no dia seguinte a minha decisão. Foi o combinado então. Depois, estando só, consultei-me, tomado por uma grande perplexidade. Foi este o primeiro pensamento que me ocorreu quando eu deliberava:

– Vejamos, se Dionísio não tem intenção alguma de manter a sua promessa, se, depois da minha partida, ele próprio escrever a Díon e mandar vários partidários seus também escreverem o que me disse hoje, a fim de persuadi-lo de que ele mesmo estava pronto para isso, mas que eu não consenti em fazer o que ele me propunha, não mostrando nenhuma preocupação pelos seus interesses, se, em contrapartida, ele não quer deixar-me partir e se, sem ele próprio dar ordem a nenhum dono de navio, deixa entender a todos que me vou embora contra a sua vontade, haverá algum capitão que aceitará levar-me como passageiro quando eu me evadir do palácio de Dionísio?

Pois, para cúmulo do infortúnio, eu morava no jardim pegado ao palácio, e o porteiro nunca me deixaria sair, se Dionísio não lhe desse a ordem para tanto.

– Se, ao contrário, fico ainda este ano, posso fazer com que Díon saiba em que situação eu me encontro e o que pretendo fazer; e se Dionísio é pouco fiel à sua palavra, a minha conduta não será tão ridícula, pois a fortuna de Díon, avaliada com justeza, não fica, provavelmente, abaixo de cem talentos. Mas se as coisas se passam como podemos prever atualmente, não sei qual partido tomar. Talvez seja necessário ter paciência ainda por um ano e tratar de desvelar pelo fato as manobras de Dionísio.

Tendo tomado essa decisão, dei, no dia seguinte, a minha resposta a Dionísio:

– Decidi ficar; mas eu lhe rogo, acrescentei, que não me considere o fundamento do poder de Díon. Vamos-lhe escrever juntos as nossas decisões atuais e peçamos-lhe que as julgue satisfatórias. Caso contrário, quero e peço outra coisa, que ele nos escreva o mais cedo possível. Na espera, nada muda no estado dos seus negócios.

Eis o que foi dito e decretado entre nós, mais ou menos nesses termos.

Depois disso, os navios partiram e se me tornou impossível embarcar. Foi então que Dionísio me resolveu dizer que dos bens de Díon, somente metade lhe pertencia; a outra cabia ao seu filho. Acrescentou que ia pô-los à venda e que, feita a venda, ele me daria metade do valor, e guardaria a outra metade para a criança; que era esse o mais justo arranjo.

Essas palavras me consternaram, e me pareceu ridículo acrescentar uma só palavra. No entanto, eu lhe disse que ele tinha de esperar uma carta de Díon, e responder-lhe, pondo-o a par dessa nova ordem das coisas. Porém, Dionísio se pôs logo a vender ousadamente todos os bens de Díon, onde e como lhe aprazia, e a quem bem lhe entendesse. Não me dirigia a menor palavra, e eu, por meu lado, não lhe falava absolutamente sobre os negócios de Díon, convencido de que isso não servia para nada. Eis, até esse momento, o que foi a minha ajuda à filosofia e aos meus amigos...

A partir de então, Dionísio e eu vivíamos assim: eu olhava para fora como um pássaro impaciente para alçar voo da sua gaiola; ele procurava por todos os meios imobilizar-me, sem nada devolver dos bens de Díon. Todavia, sustentávamos, perante toda a Sicília, que éramos amigos.

Então, Dionísio quis diminuir o soldo dos mais velhos dos seus mercenários, contrariamente ao costume estabelecido pelo seu pai. Os soldados furiosos se reuniram e declararam que não aceitariam aquilo. Dionísio tentou a força, mandando fechar as portas da cidadela; mas os mercenários se puseram logo nas muralhas, clamando uma espécie de hino bárbaro e guerreiro. Dionísio, amedrontado, lhes concedeu tudo, e chegou a aumentar o soldo dos peltastas[9] que se haviam, então, reunido.

Logo se espalhou o burburinho de que o autor dessas perturbações era Heráclido. Avisado, Heráclido fugiu e se escondeu. Dionísio queria mandá-lo deter, mas não sabendo como fazê-lo, mandou vir Teodoto ao seu jardim, onde eu estava justamente passeando. Ignoro o que eles se disseram, ainda mais porque não os ouvi, mas o que Teodoto disse a Dionísio na minha presença, eu o sei e me lembro.

---

9. Peltastas (de *peltè*: escudo leve) são mercenários armados de uma lança, que formavam o grosso do exército dos mercenários dos Dionísio, pai e filho.

— Platão — disse ele —, tento persuadir Dionísio de que se eu conseguir trazer Heráclido aqui para responder às acusações que pesam sobre ele, e se Dionísio não achar que deve permitir-lhe morar na Sicília, que o deixe, como eu lhe peço, embarcar para o Peloponeso com o filho e a mulher e lá viver sem nada tentar contra Dionísio, mantendo o gozo das suas rendas. Já mandei que o procurassem, e vou fazer isso de novo. Talvez ele se renda ao meu segundo apelo, quiçá ao primeiro. Mas peço e suplico a Dionísio que, se encontrarmos Heráclido, no campo ou aqui, que não lhe faça outro mal a não ser afastá-lo do país, até que Dionísio decida outra coisa.

— Consente nisso?, acrescentou, dirigindo-se a Dionísio.

— Consinto, respondeu Dionísio, e mesmo que seja encontrado perto da sua casa, não lhe acontecerá outro mal a não ser o que foi dito.

No dia seguinte, à tarde, Euríbios e Teodoto correram até mim, profundamente transtornados. Teodoto tomou a palavra.

— Platão — disse-me ele —, você estava presente ontem, quando Dionísio concordou conosco acerca de Heráclido?

— Com certeza, respondi.

— Acontece que agora — disse ele —, peltastas correm por toda a parte para detê-lo, e ele provavelmente não está longe daqui. É preciso de qualquer maneira que você nos acompanhe à casa de Dionísio.

Portanto, fomos e entramos na casa de Dionísio, e como os dois homens ficavam em silêncio, desfazendo-se em lágrimas, tomei a palavra:

— Os meus companheiros têm medo de que você queira tomar contra Heráclido medidas contrárias às que combinamos ontem; parece que ele voltou e foi visto em algum lugar perto daqui.

Escutando-me, Dionísio se inflamou e passou por todas as cores que se podem ver no rosto de um homem irado. Teodoto se lançou aos seus pés, pegou-lhe a mão e suplicou, aos prantos, que nada fizesse. Interpus-me e lhe disse, para reconfortá-lo:

— Fique tranquilo, Teodoto; Dionísio jamais ousará tomar uma decisão contrária aos nossos acordos de ontem.

Então ele, lançando-me um verdadeiro olhar de tirano:

— Com você — bradou — não fiz nenhum acordo, nem grande nem pequeno.

– Pelos deuses – repliquei –, você apenas concordou em conceder misericórdia a esse homem, e agora eu lhe peço.

A essas palavras, virei os saltos e saí. Dionísio continuou, no entanto, a perseguir Heráclido, porém Teodoto lhe enviou emissários para apressá-lo a fugir. Dionísio lançou Tísias com peltastas à sua perseguição; mas Heráclido lhes tomou a frente, dizem, em algumas horas, refugiando-se na região controlada por Cartago.

Depois disso, Dionísio, que ainda tinha a intenção de não devolver os bens de Díon, acreditou encontrar um motivo plausível de inimizade contra mim. Antes de mais nada, expulsou-me da cidadela, sob o pretexto de que as mulheres deviam celebrar por dez dias um sacrifício no jardim onde eu estava alojado. Ordenou-me que passasse aquele tempo fora, na casa de Arquêmedes. Eu lá estava quando Teodoto me mandou buscar, muito indignado com tudo o que tinha acontecido, e repreendendo Dionísio. Quando ficou sabendo que eu estava na casa de Teodoto, Dionísio fez um novo pretexto de desacordo comigo – pretexto da mesma farinha que o precedente – e mandou alguém me perguntar se eu havia realmente aceitado o convite de Teodoto.

– Certamente – respondi.

– Então – retomou o mensageiro –, ele me ordena dizer-lhe que agiu muito mal, em lhe preferindo sempre Díon e os seus amigos.

Eis o que me mandou dizer, e nunca mais me chamou de volta ao palácio, como se estivesse claro, doravante, que sendo um amigo de Teodoto e de Heráclido, eu era seu inimigo. Ele pensava, aliás, que eu não tinha benevolência por aquele que havia dilapidado os bens de Díon.

Passei a morar, portanto, daquele momento em diante, fora da cidadela, entre os mercenários. Pessoas vinham ver-me, entre as quais os marinheiros de Atenas, meus compatriotas, relatando-me que eu fora caluniado junto aos peltastas e que alguns deles ameaçavam matar-me, se conseguissem pegar-me.

Concebi, então, um plano para me salvar. Enviei uma mensagem a Arquitas e aos meus outros amigos de Tarento para pô-los a par da situação em que eu me encontrava. Eles, pretextando uma embaixada da sua cidade, enviaram um navio de três remos, com um deles, Lamisco. Assim que chegou, Lamisco intercedeu por mim junto a Dionísio, dizendo que eu queria partir e rogando-lhe não se opor a isso. Dionísio consentiu e se despediu de mim, depois de me dar dinheiro para pagar a passagem. Quanto aos bens de Díon, não pedi nada e nada me foi dado.

Uma vez chegado ao Peloponeso, a Olímpia, encontrei Díon, que assistia aos Jogos, e lhe contei o que havia acontecido. Ele, tomando Zeus por testemunha, logo pediu a mim, aos meus parentes e amigos que nos preparássemos para vingarmo-nos de Dionísio: nós, pela sua falta de hospitalidade – era assim que ele designava e julgava a sua conduta –, ele, pelo seu banimento e exílio injustos.

A essas palavras, eu lhe disse que apelasse aos seus amigos, caso eles quisessem.

– Mas, quanto a mim – disse eu –, foi você que de certa forma me obrigou, você e os outros, a dividir a mesa e o lar de Dionísio. Ele, crendo talvez na fé de um grande número de caluniadores que eu conspirava com você contra a pessoa dele e contra a tirania, no entanto, evitou o crime ao abster-se de me mandar matar. Além disso, eu não tenho mais idade de tomar parte, posso dizê-lo, de nenhuma empresa guerreira, mas estou com você, se um dia você sentir a necessidade de se reunir para fazer o bem. Enquanto quiser fazer o mal, dirija-se a outros.

Foi isso o que eu disse, desgostoso com a minha aventura na Sicília e com o meu insucesso. Porém, não me escutaram, e rejeitaram os meus esforços de conciliação, e é por isso que eles próprios são responsáveis por todos os males que aconteceram desde então. Se Dionísio tivesse devolvido os bens a Díon ou tivesse travado com ele um verdadeiro compromisso, nada disso teria ocorrido, na medida em que se tratava de negócios humanos. Quanto a Díon, eu tinha vontade e poder suficientes para retê-lo com facilidade. Mas, uma vez lançados um contra o outro, eles semearam o desastre. Todavia, Díon tinha, sem dúvida, o mesmo desejo que eu próprio, ouso afirmar, e que deve ter todo homem moderado, com relação ao seu poder, aos seus amigos e à sua própria cidade: só pensava em adquirir o poder e as maiores honras para realizar as maiores obras. Não é esse o caso de quem quer enriquecer a si, aos seus companheiros e à sua cidade, tramando complôs e reunindo conjurados, quando ele é pobre, desprovido de autocontrole, escravo covarde das suas paixões, que manda matar, em seguida, pessoas afortunadas, qualificando-as de inimigas, que dilapida os bens delas e encoraja os seus auxiliares e partidários a fazer o mesmo, para que nenhum deles lhe censure a pobreza. Tampouco é o caso daquele que uma cidade honra como seu benfeitor porque ele distribui por decretos à massa os bens do pequeno número ou porque, no comando de uma cidade importante que governa outras menores, ele outorga à sua própria cidade, contra toda justiça, os menores bens. Nunca Díon nem ninguém procuraria deliberadamente um poder que fosse para sempre funesto a ele mesmo e à sua posteridade. Díon buscava, pelo contrário, estabelecer um regime e as melhores e mais justas leis para evitar o máximo possível os assassínios e os exílios.

Foi esta a conduta de Díon: preferiu sofrer injustiças a cometê-las, cuidando, no entanto, para não sofrê-las. Entretanto, falhou no momento em que vencia os seus inimigos. Isso não tem nada de inacreditável. Um homem virtuoso, prudente e sábio nunca pode enganar-se inteiramente sobre o caráter dos celerados, mas talvez não seja surpreendente que lhe aconteça a mesma coisa que a um piloto hábil, que não deixa de prever uma tempestade, mas que nem sempre pode calcular a sua violência extraordinária e inesperada; nesse caso, forçosamente naufraga. A mesma causa explica a queda de Díon. Ele discernira muito bem a malignidade daqueles que o perderam, mas não calculara a profundidade da sua estupidez, maldade e avidez. Esse erro provocou a sua morte e cobriu a Sicília com um luto infinito.

Os meus conselhos, depois desse relato, já lhos dei, e isso basta. A razão pela qual voltei à minha segunda viagem à Sicília foi que me pareceu necessário contar-lhes a causa da estranheza e do absurdo do que aconteceu. Se as minhas explicações parecem plausíveis e se eu esclareci suficientemente os fatos, tenho a minha exposição por conveniente e suficiente.

Amarga Utopia

Para Loulou

Platão também escreveu cartas; e o que é melhor, cartas que falam dele. Essas cartas esclarecem alguns elementos da sua vida, na travessia de um real histórico doloroso, exprimindo como que uma característica do pensador e um humor.

Juntam-se, assim, à obra, assinalando motivações intelectuais, morais e até mesmo psicológicas, da conduta e do pensamento de um filósofo.

Diante de tantas vantagens, uma pergunta se impõe: são essas cartas autênticas? Os eruditos nos respondem: "nem todas". Mas, sorte suplementar, a mais longa e detalhada dessas cartas, a *Carta VII* (intitulada nesta edição *Carta aos amigos*), recebe um acordo quase unânime, que propõe o primeiro modelo histórico daquilo a que se pode chamar uma autobiografia filosófica.

Não apenas o filósofo aí relata fatos vividos, uma ação e uma "paixão", saindo da habitual reserva daquele que pensa e escreve, de certo segredo que circunda o fundador da Academia, mas a *Carta VII* tem todo o aspecto de uma síntese da obra e dos domínios que abarca: moral, política, lógica e teoria do conhecimento, metafísica e, em certo sentido, estética. Esclarece a gênese desses interesses múltiplos ao estabelecer os vínculos entre essas diversas áreas.

Portanto, pode ser uma introdução ao platonismo.

Que essa introdução provoque um duplo mal-estar, isso deve pesar no seu ativo.

Primeiro mal-estar: diz respeito à experiência de um pensador conhecido como o inventor da primeira Utopia. Um homem já velho – tem cerca de 72 anos – conta uma experiência, que é a de uma desilusão, e de um insucesso.

Isso nos permite pregar uma peça numa ideia divulgada, segundo a qual Platão se teria "refugiado" numa teoria idealista e numa utopia política por uma espécie de despeito, compensando uma impotência real. Posto que não podemos agir, sonhemos...

A *Carta VII* inflige a essa ideia um desmentido.

Desde a juventude, Platão sempre desejou – e tentou – o exercício ativo dos negócios públicos. No momento em que ele desenvolve o plano de uma cidade ideal, uma parte da experiência já foi feita: nem a tirania, nem a oligarquia, nem a democracia – regime sob o qual se efetuou o assassínio premeditado de um filósofo, Sócrates – se mostraram capazes de uma gestão honesta e duradoura do poder. Importa, no entanto, que o pensador não se vá fechar num retiro dourado, puramente especulativo. O autor do *Górgias* e da *República* tem realmente a intenção, assim que surgir a oportunidade, de ir medir as suas teorias com base na dimensão do real. Está fora de questão, para ele, ser um "belo falador inútil que não quer pôr mãos à obra" (*Carta VII*). É por isso que quando o tirano Dionísio, o Ancião, morre, ele não deixa de responder ao apelo de Díon e dos filósofos-governadores de Tarento. Continuará a responder a apelos desse tipo até os 66 anos, data da sua última viagem à Sicília.

Saber se, em outras circunstâncias, "a união da filosofia com o poder" teria podido encarnar-se na pessoa de Dionísio, o Jovem, ou na de Díon, fica uma pergunta sem resposta. O autor da *Carta VII* é um pensador desiludido – tendo perdido as ilusões da sua primeira juventude, quanto à transparência do exercício político – mas de modo algum desenganado. Prova disso é a redação das *Leis*, que Platão continuará até morrer. De uma ponta à outra, a obra política do filósofo traz a marca da experiência. Podemos ver no termo lei, recorrente na *Carta* (19 ocorrências), o meio obtido entre os polos extremos da alegre utopia e da amarga experiência.

Platão não tira dessa experiência a lição democratizadora de que uma reforma política é definitivamente impossível, considerando a natureza humana e o sombrio futuro para o qual é arrastada, mas que a ação política é um risco difícil, perigoso, necessário.

Nesse ponto, abre-se uma série de questões, cujo caráter atual, ainda perturbador, podemos mensurar:

Qual o valor real das diferentes organizações políticas para a obra no mundo? São elas compatíveis com a liberdade do homem e com a moralidade do sábio? Como prevenir a violência? Mas também: que pode a teoria política diante do peso da realidade? Não se comporta o filósofo, no universo político, como o Nazarin de Buñel que, toda vez que "fazia o bem", engendrava à sua volta catástrofe e miséria?

Segundo mal-estar: uma leitura apressada da *Carta* poderia dar a impressão de certa desordem; de qualquer modo, de uma mistura. Por que interrompe Platão a cronologia para fazer exortações e dar conselhos? Por que faz reviver o amigo Díon no fim da *Carta*, quando já contou as circunstâncias da sua morte trágica? Por que, sobretudo, essa famosa "digressão filosófica" em que ele expõe uma teoria do Ser e do conhecimento, aparentemente muito distante da sequência dos fatos? Isso seria esquecer a arte platônica da composição e do desvio. De fato, o desenvolvimento sobre o conhecimento e a linguagem é o verdadeiro pivô da *Carta VII*.

Mas falemos primeiro de estética.

É preciso crer na tradição segundo a qual Platão teria composto tragédias na juventude e as teria destruído, ao descobrir a sua vocação de filósofo (Diógenes Laércio)? Pelo seu aspecto teatral, os seus *Diálogos* se prestam admiravelmente à encenação.

A *Carta VII* também pode ser lida como uma peça de teatro, uma tragédia que compreende uma ação, um destino, vítimas, uma moral. Não é por acaso que apresenta lugares (o jardim de Siracusa em que Platão passeia), diálogos intensamente dramáticos (a troca entre Teodoto,

Platão e o tirano Dionísio), as súplicas imaginárias de Díon e os dilemas interiores do filósofo.

Como em uma peça de teatro, Platão cuida para introduzir progressivamente seres que não são apenas pessoas reais, mas quase "personagens", armando um "suspense", uma quebra da narrativa, peripécias, numa forma de expressão amplamente influenciada pela estética de Eurípides, em que o próprio pensamento (*dianoia*) se insere na narrativa para aí desempenhar o seu papel.

A "digressão filosófica" sobre as palavras, faladas ou escritas, permite compreender o modo de exposição particular de Platão, por diálogos e mitos, e não por tratados doutrinários.

Chocamo-nos com a frase problemática, a que fez alguns raros eruditos penderem para a inautenticidade da *Carta*:

"É por isso que todo homem sério, que se ocupa de assuntos realmente sérios, se absterá de escrever e de lançar o seu pensamento como pasto para a vontade e a perplexidade do público".

Ora, Platão escreve abundantemente...

Não apenas os *Diálogos*, mas também a *Carta VII*, que não é uma carta particular, mas uma espécie de "carta aberta", destinada a ser comentada, meditada, difundida, recopiada.

Ao escrevê-la, como ao escrever os seus *Diálogos*, não está Platão em total contradição consigo mesmo?

Está mais em meio a um paradoxo, constitutivo da sua filosofia.

É que Platão tem que resolver um problema, cujos dados são:

De um lado, ele está totalmente de acordo com a "a-grafia" socrática. Sócrates não escreve, pretende não saber, e só deixa passar o que sabe por meios irônicos, ou por aporias. É porque a verdade não pode ser escrita, em razão da rigidez obtusa da escritura. Mal pode ser dita...

De outro lado, a escritura permite, entretanto, a difusão do pensamento àqueles que são capazes de recebê-lo para formar uma comunhão de ideias, uma comunidade. O sentimento da comunidade e da ideia da responsabilidade política do filósofo, de inspiração pitagórica, são um dos traços do platonismo. Nada é mais alheio a Platão do que a ideia do encerramento do sábio numa "torre de marfim", ou mesmo o simples individualismo dos epicuristas e dos estoicos. Para ele, o filósofo tem deveres sociais. Estes impõem o meio impróprio, porém necessário, da escritura.

Portanto, é preciso encontrar uma expressão escrita que permita a um só tempo dizer e não dizer, não dizer as coisas tais como elas são realmente – porque isso é impossível, além das palavras – mas sob a forma de um "como se" (o mito), ou ainda, sob uma forma que, pelas suas contradições sucessivas, suas interrupções e retornos, não permita de modo algum um resumo, uma formulação: e tal é o Diálogo.

O contrário do sério é o jogo. E ao jogo, Platão se presta. Ele escreve, aliás, na *República* que a educação dos jovens filósofos deve ser feita no jogo, porque o jogo é o que convém a uma alma livre. É por isso que ele mesmo não deixa de jogar na sua obra a adivinhação, a alegoria, a aporia que excita a alma do aluno-leitor a procurar por si próprio, quando não se trata de um simples trocadilho, como ele o faz no *Banquete*, com a prosopopeia e a palinódia, como o faz no *Fedro*, em resumo, com todos os jogos de palavras que a retórica possibilita. O leitor filósofo deve jogar com as palavras e ler nas entrelinhas. A *Carta VII* de Platão dá a entender que tudo o que ele mesmo escreveu é jogo, e que o que é "realmente sério" está além das palavras, na parte mais profunda e secreta da alma: na intelecção (*Noûs*).

Podemos ler a *Carta VII* à luz do *Fedro* e do *Banquete*, numa relação de reciprocidade.

Como o *Fedro*, a *Carta VII* instrui o processo do escrito, indo ainda mais longe, até a palavra. Como o *Banquete*, a *Carta* faz a ideia intervir, bem no meio da ação que se desenrola.

A palavra, diz ela, é o mais baixo grau do conhecimento, seguida da definição, da figura, da ciência x e, enfim, da Intelecção. O que o jovem Dionísio mandou ler a Platão, dando prova da sua filosofia inata, é uma logomaquia selvagem, um tecido de palavras ignorantes. A sua ação prova isso.

O conhecimento não é apenas pensamento verdadeiro do Ser, mas também princípio da ação justa e da vida sábia. E ainda, ida e volta constante, passando por todos os graus intermediários, da palavra à ideia e da ideia à palavra.

Dionísio mente, viola as suas promessas, abusa, espolia, aterroriza, assassina.

É terrível que ele fale, e talvez mesmo... que lhe tenham ensinado essa linguagem que apresenta a aparência de uma semelhança com a filosofia...

Como não pensaríamos nessas terríveis logomaquias do nosso presente que utilizaram a aparência de um discurso filosófico – até mesmo de um "livro" que responde a todas as perguntas – para validar com a sua sombra prestigiosa todos os atos do tirano?

Aventuras, percursos e riscos da política, e também da filosofia.

Séverine Auffret

Vida de Platão

427 a.C. Nascimento de Platão (sob o nome de Arístocles; Platão é um apelido que lhe teria sido dado por causa da largura da sua testa) em Atenas, no dia do aniversário de nascimento de Apolo em Delfos (7 de maio), da 88ª Olimpíada, numa família nobre e poderosa. Seu pai, Ariston, teria tido por ancestral Codrus, o último rei de Atenas. Sua mãe, Perictiona, era neta de Crítias, o Ancião, irmã de Cármides e prima de primeiro grau de Crítias, que fez parte dos Trinta Tiranos. Platão tem dois irmãos, Adimante e Glauco, e uma irmã, Potona.

Atenas está engajada na Guerra do Peloponeso (431 a 404; revolta de Mitilene em 428), empobrecida, e vive uma situação interna cheia de armadilhas após a morte de Péricles durante a grande peste de 429. Partidários da guerra e da paz, ricos e pobres, democratas e oligarcas se confrontam violentamente com a peste.

Platão recebe a formação comum aos jovens atenienses afortunados: escola, ginástica, música. Inicia-se na pintura e na poesia, escrevendo versos e tragédias. É possível que Platão tenha seguido, mais tarde, aulas filosóficas, as do heraclitiano Crátilo.

421. Suspensão das hostilidades durante a Paz de Nícias, concluída entre Atenas e Esparta, e as cidades que eram as suas respectivas aliadas. Essa trégua só dura um ano.

418. Batalha de Mantineia e esmagamento dessa cidade, aliada de Atenas.

415-413. Expedição dos atenienses à Sicília, conduzida pelos estrategistas Nícias (enviado contra a vontade), Lamacos e Alcibíades, e derrota de Atenas. O balanço da derrota é muito pesado: quase toda a frota é destruída, a cidade arruinada, milhares de soldados são mortos.

414. Alcibíades trai Atenas e junta-se a Esparta.

412. Revolta da Jônia e aliança entre Esparta e a Pérsia.

411. Revolução oligárquica em Atenas, ajudada por Esparta: regime dos Quatrocentos, em seguida dos Cinco Mil.

410. Restabelecimento da democracia em Atenas.

407. Retorno de Alcibíades a Atenas. Platão reencontra Sócrates. Seguirá o seu ensino durante oito anos.

406-405. Sócrates é sorteado como presidente do Conselho.

405. Dionísio, o Ancião, tirano de Siracusa na Sicília.

404. Derrocada final de Atenas. Os vencedores lhe impõem a paz e o governo dos Trinta Tiranos. Sócrates se recusa a obedecer aos Trinta e a prender Leon de Salamina.

403. A democracia é restabelecida em Atenas. Retorno dos exilados.

399. Processo, condenação e execução de Sócrates, por "impiedade, corrupção da juventude e introdução de religiões novas". Platão está doente. Após a morte de Sócrates, ele abandona (segundo Diógenes Laércio) a poesia dramática para se consagrar à filosofia. Começa a redigir os seus primeiros diálogos, ilustrando o método de ensino e de questionamento socrático. Quase todos os seus diálogos, que manterão a marca do teatro a ponto de se prestarem facilmente à encenação, se centrarão na pessoa de Sócrates, protagonista e condutor do jogo.

399-390. Platão redige o *Hípias menor*, o *Íon*, o *Láques*, o *Cármides*, o *Protágoras* e o *Eutífron*.

395-394. Esparta sitia Corinto.

Data imprecisa. Casamento de Platão. Ele teria tido um filho, Adimante.

394. Participação plausível de Platão, com 31 anos de idade, na batalha de Corinto. Viagens de Platão ao Egito, à Ásia Menor e a Creta.

390-385. Platão redige o *Górgias*, o *Mênon*, a *Apologia de Sócrates*, o *Críton*, o *Eutidemo*, o *Lísis*, o *Menexêno* e o *Crátilo*.

388-387. Viagem de Platão ao sul da Itália e à Sicília. Ele encontra em Tarento o pitagórico Arquitas, o governador da cidade, e recebe a influência do pitagorismo (mística dos números, da harmonia numérica que preside ao universo celeste, à música e ao conhecimento, crença na metempsicose e teoria política que apregoa o governo da cidade pelos sábios). Conhece em Siracusa, sob o reinado de Dionísio, o Ancião, Díon. Dionísio, o Ancião, o expulsa de Siracusa. Segundo Diógenes Laércio, Platão é vendido como escravo. É comprado de novo, em Egina, por Anicéris de Cirene, que o manda de volta a Atenas.

387. De volta a Atenas, funda a Academia.

385-370. Redação do *Fédon*, do *Banquete*, da *República* e do *Fedro*.

370-347. Platão redige o *Teeteto*, o *Parmênides*, o *Sofista*, o *Político*, o *Timeu*, o *Crítias* e o *Filebo*.

367-366. Segunda estada de Platão em Siracusa. Dionísio, o Ancião, é morto e substituído pelo filho, Dionísio, o Jovem. Díon faz Platão vir a Siracusa para lhe permitir exercer sobre Dionísio uma influência filosófica. Dionísio manda exilar Díon.

361-360. Terceira e última estada de Platão em Siracusa.

360. Platão reencontra Díon exilado em Olímpia (Peloponeso). Díon lhe anuncia a sua intenção de comandar uma expedição contra Dionísio. Platão se recusa a juntar-se a essa expedição e propõe em vão uma conciliação.

357. Partida da expedição de Díon e queda de Dionísio.

354. Díon é assassinado. Platão redige a *Carta VII*, endereçada aos seus próximos e partidários.

347-346. Morte de Platão. Está redigindo as *Leis*. É enterrado na Academia.

Cícero

Lélio ou
A Amizade

1

1. Quinto Múcio Scevola, o áugure, tinha o costume de evocar muitíssimo, por meio de histórias precisas e saborosas, a lembrança de Caio Lélio, o seu sogro, e não hesitava, todas as vezes que dele falava, em qualificá-lo de sábio. No que me diz respeito, o meu pai me pôs na escola de Scevola, quando vesti a toga viril:[10] tanto quanto era possível, nunca descolava da sombra do velhinho. A minha memória registrava, dessa forma, inúmeras formulações concisas e muito oportunas, e eu me dedicava a desenvolver os meus conhecimentos ao contato com a experiência dele. Depois da sua morte, reportei-me ao seu primo, o pontífice Scevola, uma personagem da nossa cidade, fora do comum, ouso dizer, pelo talento e pelo senso de justiça. Mas falarei disso em outra ocasião: voltemos ao nosso áugure.

2. Amiúde, eu o revejo na casa dele, sentado, como sempre, na sala de visitas, notadamente uma vez em que eu estava com alguns familiares seus: no decorrer da conversa havia surgido o caso que todos, ou quase todos, discutiam naquele tempo. Sem dúvida, você se lembra, Ático – já que era muito ligado a Públio Sulpício – da época em que, tribuno da plebe, Públio brigara, com ódio mortal, com Quinto Pompeu, por ocasião da eleição consular:[11] ambos os homens, que até aquele momento das suas vidas haviam sido indefectíveis aliados e amigos íntimos, se viram envolvidos num clima de estupefação mesclado a censuras!

3. Nessa conversa, portanto, Scevola, para comentar esse triste caso, nos relatou uma série de reflexões de Lélio sobre a amizade, que este último havia feito na frente dele e do seu outro genro, Caio Fânio, filho de Marcos, alguns dias após a morte de Cipião, o Africano. Guardei na memória, com nitidez, a substância dessa conversa, que

---

10. Sinal que indica a entrada na idade adulta.
11. Quinto Pompeu, em 88 a.C., traiu um acordo eleitoral no término do qual Sulpício deveria ser eleito cônsul.

neste livro exponho a meu modo: de certa forma, introduzi os próprios interlocutores para evitar a intervenção demasiado frequente do "digo eu" ou do "diz ele", a fim de que pareça que os protagonistas estejam conversando diante de nós.

4. Você me incitou, muitas vezes, a escrever alguma coisa sobre a amizade: o tema me pareceu valer realmente a pena para a edificação de todos e da nossa intimidade recíproca; portanto, consagrei-me, de boa vontade, a servir a todos, dando-lhe satisfação. No *Catão, o Antigo*, que trata da velhice em sua intenção, confiei a um Catão velho a argumentação, porque ninguém me parecia mais apto a falar dessa idade do que uma personagem cuja existência de velho havia sido tão longa e que, durante essa mesma velhice, havia sido coberto de honras mais do que qualquer outro. Desta vez, já que os nossos pais nos ensinaram que a intimidade entre Caio Lélio e Públio Cipião foi a mais memorável que havia, foi a pessoa de Lélio que me pareceu adequada para desenvolver ideias sobre a amizade, ideias essas de que Scevola se lembrava que o ouvira discutir. Além disso, esse tipo de proposições, postas sob a autoridade de homens do passado, e dos mais ilustres, não sei por que razão me parecem ter mais peso. Por isso, quando me releio, tenho às vezes a estranha sensação de que é Catão, e não eu, quem fala.

5. Em resumo, assim como em intenção a um homem velho, outro homem velho dissertava sobre a velhice, neste livro é a um amigo que como amigo atento eu escrevi sobre a amizade. Catão se exprimia assim: ele era, sem dúvida, o homem mais velho daquele tempo, e o sábio mais apurado; agora é Lélio, sábio – pelo menos é essa a sua reputação – e famoso pela glória que lhe valeu a amizade, quem falará de amizade.

Eu gostaria que, por um momento, você não pensasse em mim, e imaginasse que está ouvindo o próprio Lélio discorrer. Caio Fânio e Quinto Múcio Scevola vão ver o sogro depois da morte de Cipião, o Africano; são eles que entabulam a conversa, e Lélio responde; toda a dissertação sobre a amizade é dele, e lendo-a, você descobrirá a si mesmo.

2

6. FÂNIO. – É muito triste, Lélio. Nunca houve homem melhor do que o Africano, nem mais ilustre... Deve ficar atento, todos os olhos estão fixados em você: só chamam por você, e só a você consideram realmente *sábio*. Há pouco, atribuía-se esse título a Marcos Catão, e sabemos que Lúcio Acílio, no tempo dos nossos pais, também era chamado de *sábio*. Mas ambos por outras razões: Acílio, pela sagacidade bem conhecida em direito civil; Catão, pela experiência em várias áreas: falava-se das suas contribuições ao Senado e ao Fórum, de todos os tipos de previsões clarividentes, de atos firmes, de respostas picantes; por conseguinte, na velhice sábio era quase um sobrenome para ele.

7. Em compensação, no que lhe diz respeito, as razões são outras: é pela natureza e pelo temperamento, mas sobretudo e pela vontade e instrução que você é sábio. E não na acepção vulgar, porém no sentido que as pessoas cultas dão geralmente ao adjetivo "sábio". Um título que, portanto, na Grécia, ninguém que conheçamos recebeu – aqueles a quem chamavam os "Sete Sábios", na verdade, se acreditamos que são os mais finos conhecedores da matéria, não figuram no número dos sábios –, exceto um único homem, que vivia em Atenas:[12] precisamente aquele que o oráculo de Apolo havia julgado "o mais sábio". Concedem-lhe essa mesma sabedoria, vendo-o considerar tudo o que lhe diz respeito como dependente de você, e pensar que tudo o que acontece é inferior à virtude.

É por isso que alguns me perguntam, e a Scevola também, acho, o segredo que o ajuda a suportar a morte do Africano, já que nas últimas Nonas,[13] quando nos reunimos nos jardins do áugure Décimo Bruto,

---

12. Refere-se a Sócrates.
13. Entre os romanos, tratava-se do sétimo dia dos meses de março, junho e outubro e do quinto dia dos outros meses.

como de costume, para meditarmos juntos, você não foi, você que sempre respeitou pontualmente esse dia e essa obrigação.

8. SCEVOLA. – É verdade que muitas pessoas, Caio Lélio, me fazem a mesma pergunta que fazem a Fânio; eu lhes respondo, por ter observado, que você suporta com calma a dor que o aflige a morte daquele que foi a um só tempo um homem eminente e o seu mais caro amigo; que você não poderia ser indiferente à morte dele, que isso não faz parte da sua sensibilidade; mas que se não compareceu à nossa reunião, no dia das Nonas, foi, a meu ver, por motivo de saúde, não de luto.

LÉLIO. – Observou bem, Scevola, e é verdade: o que me obrigou a não cumprir essa obrigação, que sempre cumpri quando estava bem, não foi a tristeza: nenhuma dificuldade desse tipo, a meu ver, pode obrigar um homem de caráter a negligenciar o cumprimento do seu dever.

9. Quanto a você, Fânio, ao dizer que me atribuem tantas qualidades, que aliás não reconheço em mim e que de modo algum tenho a pretensão de ter, comporta-se certamente como um amigo: mas, ao que me parece, você não faz completa justiça a Catão. Que de fato nunca tenha havido sábio, seria algo em que eu acreditaria mais; que, se houve algum, esse sábio foi realmente ele. De que modo, para não falar disso, não suportou ele a morte do próprio filho! Eu me lembrava de Paulo,[14] revia Galus; porém os filhos deles eram menininhos: já Catão perdeu um homem maduro e admirado.

---

14. Paulo Emílio tinha quatro filhos. Confiou dois legalmente a pais adotivos – um entrou na família Cipião e foi apelidado de Emiliano, e o seu amigo íntimo era Lélio. Convencido pelos pareceres de Catão acerca de Cartago, que rearmava poderosamente a sua frota em segredo, apesar dos tratados, ele seguiu o exemplo de Cipião, o Africano, o seu pai adotivo, e foi o segundo Cipião a levar a guerra à África, a vencê-la, e a receber, por sua vez, a alcunha Africano. Mas ocorre que os dois filhos restantes de Paulo morreram aos 12 e 14 anos, na véspera e no dia seguinte em que Roma festejava o Triunfo do pai deles; e aquele que tivera quatro filhos se via agora sem nenhum! Galus, amigo de Paulo Emílio, havia perdido igualmente um filho. Catão perdeu só um filho que estava quase no topo de uma brilhante carreira política.

10. Por conseguinte, abstenha-se de estimar quem quer que seja mais do que Catão, até mesmo aquele que Apolo, como você diz, julgou "o mais sábio": num deles os atos são julgados admiráveis, no outro, as palavras.[15] Porém, no que diz respeito ao meu próprio tema, e daqui para a frente falarei aos dois juntos, eis o meu ponto de vista.

---

15. É esquecer-se apressadamente da maneira pela qual Sócrates enfrentou a morte, principalmente.

3

Se negasse a minha emoção por ter perdido Cipião, teria eu razão em fazê-lo? Cabe às pessoas prudentes responder. Mas, é claro, eu estaria mentindo. Forçosamente, estou triste por ter sido privado de um amigo como, acho, nunca mais se verá, e posso garantir, como nunca se viu. No entanto, não preciso de remédio. Consolo a mim mesmo e com o melhor dos consolos: abstendo-me de entregar-me ao erro que geralmente atormenta as pessoas depois do falecimento dos seus amigos. Não acho que aconteceu uma desgraça a Cipião: se aconteceu uma desgraça a alguém, foi a mim; sofrer terrivelmente das próprias misérias não é amar os amigos: é amar a si mesmo.

11. No que lhe diz respeito, quem ousaria realmente negar que ele teve um papel de destaque na vida? Pois, salvo se quisesse – ele não pensava nisso de modo algum – obter a imortalidade, o que não obteve do que é permitido ao homem desejar? Ele que, a partir da adolescência, foi alcançando continuamente, com inacreditável força de caráter, as mais altas esperanças que, desde a infância, os seus concidadãos haviam depositado nele; que, sem nunca ter disputado o consulado, se viu cônsul por duas vezes, a primeira antes da idade legal, a segunda numa idade para ele normal, mas quase tarde demais para a república; que, por ter destruído duas cidades[16] irredutivelmente hostis ao nosso poder, pôs um fim não apenas nas guerras da época, mas também naquelas que teriam ocorrido no futuro. E o que dizer do seu caráter tão sociável, da veneração que ele tinha pela mãe, da generosidade para com as irmãs, da bondade para com os seus, da preocupação com a justiça para todos? Vocês estão a par de tudo isso. Quanto ao grau de afeição que lhe tinham os seus concidadãos, a consternação deles no funeral deu a respectiva medida! Quem, portanto, poderia acrescentar-lhe

---

16. Trata-se de Cartago e Numância.

alguns anos mais? Pois a velhice, mesmo quando não pesa – e revejo Catão, um ano antes de morrer, explicar isso a mim e a Cipião –, nos subtrai, no entanto, o verdor de que Cipião ainda gozava.

12. De fato, no plano da fortuna e da glória, a sua vida foi tão plena que ele nada podia acrescentar; e ele morreu tão bruscamente que não teve tempo de dar-se conta disso. Um caso de morte sobre o qual, aliás, é difícil pronunciar-se; vocês estão a par do que se suspeita.[17] O que se pode dizer, em compensação, com certeza é que para Públio Cipião, entre os tantos dias da sua vida que o viram no topo da celebridade e da alegria, o dia mais brilhante foi aquele em que à tarde, ao deixar o senado, foi acompanhado até à casa pelos senadores, pelo povo romano, pelos aliados e pelos latinos: foi também na véspera de deixar a vida, de modo que um tão alto grau de dignidade foi como um trampolim graças ao qual ele entrou diretamente na morada dos deuses do céu, em vez de ir para a morada dos deuses dos mundos infernais.[18]

---

17. Públio Cipião teria sido assassinado por um inimigo político. Entretanto, Lélio, para evitar a guerra civil, ao pronunciar o elogio fúnebre do amigo, falou da morte como natural.
18. Lembremos que, para os antigos, os mortos desciam sob a terra, onde viam ao mesmo tempo um espaço reservado aos maus, e os Campos Elísios, morada serena destinada aos justos.

4

13. Eu não poderia, na verdade, aderir às teses daqueles que, recentemente, começaram a sustentar que os espíritos perecem ao mesmo tempo que os corpos e que tudo é destruído pela morte. Concedo mais crédito à autoridade dos antigos, até mesmo à dos nossos avós, que atribuíram aos mortos direitos tão sagrados: o que com certeza não teriam feito se tivessem julgado que nada mais lhes dizia respeito; à autoridade daqueles que pisaram em nosso chão[19] e viram a Grande Grécia, arruinada hoje, porém na época florescente, na escola das suas instituições e das suas concepções; ou ainda, à autoridade daquele cujo oráculo de Apolo julgou "o mais sábio": um sábio que, sobre esse ponto, não disse ora isso, ora aquilo, como na maioria dos casos, mas sempre a mesma coisa: que as almas dos homens são divinas e que, assim que saem dos corpos, veem abrir-se diante delas o retorno para o céu, ainda mais direto porque foram humanos particularmente bons e justos.

14. Coisas que Cipião encarava da mesma forma: como se ele houvesse pressentido o que o esperava, pouquíssimos dias antes de morrer, na presença de Fílos e de Manílios, e de muitos outros, entre os quais você também, Scevola, pois viera comigo, ele dissertou sobre a república três dias seguidos, uma exposição cujo fim era essencialmente a imortalidade das almas: ele dizia ter dito enquanto dormia, graças a uma visão, revelações do Africano[20] a esse respeito.

Se, portanto, é verdade que na hora da morte a alma dos melhores escapa com tanta facilidade da prisão, bem como das correntes

---

19. Cícero evoca aqui os etruscos, cuja religião impregnou toda a Itália romana, com uma visão do além (*cf.* os túmulos de Tarquínia) surpreendentemente positiva e alegre.
20. Lembremos que dois Cipiões foram apelidados de "o Africano". O primeiro Cipião, o Africano, era o pai adotivo do segundo, Cipião Emiliano (ver nota 14), o amigo de Lélio. Exatamente antes de morrer, o segundo Cipião, portanto, sonhou com o primeiro. Na época, acreditava-se realmente que os sonhos eram mensagens provenientes do além.

do corpo, quem, pois, eu lhes pergunto, teria tido um caminho mais facilitado para os deuses do que Cipião? Por conseguinte, afligir-se com o que lhe ocorreu, temo, estaria ligado mais à inveja do que à amizade. Se, pela minha fé, a outra tese é a exata – se a mesma morte afeta igualmente as almas e os corpos, e se nenhuma consciência subsiste – então, não há nada de bom na morte, porém tampouco nada de mau, evidentemente. Pois o desaparecimento da consciência, para o homem de quem falamos, equivale praticamente a ele não ter nascido, ele que, entretanto, nasceu, coisa pela qual nos felicitamos e de que a nossa cidade, enquanto existir, terá a oportunidade de se regozijar.

15. É por isso que, mais acima, eu dizia que *ele* conheceu todos os favores de um destino que, comigo, se mostrou mais desagradável: em boa lógica, por ter entrado primeiro na vida, eu deveria ser o primeiro a sair. No entanto, a lembrança da nossa amizade me dá tanto prazer que tenho a sensação de ter vivido feliz, posto que vivi na companhia de Cipião, que juntos tivemos o cuidado a um só tempo dos negócios públicos e privados; que juntos tivemos em comum a vida familiar e a vida militar, e nisso reside toda a força da amizade, a mais nobre cumplicidade no plano das escolhas, dos interesses, das ideias. Assim, portanto, essa reputação de sabedoria, que Fânio nos evocava há pouco, só me dá, sobretudo porque é falsa, uma ínfima satisfação se comparada com a lembrança da nossa amizade, que espero que dure eternamente. E isso me é ainda mais importante porque só me poderiam citar, ao longo de todos os séculos, três ou quatro pares de amigos: semelhante raridade me autoriza, parece-me, a esperar que a amizade entre Cipião e Lélio continue lendária nas gerações futuras.

16. FÂNIO. – Sem dúvida alguma, Lélio, é o que acontecerá. Porém, como acaba de aludir à amizade e como temos tempo, você me daria grande prazer – e a Scevola também, espero – se como costuma fazer com os outros temas sobre os quais o questionam, nos expusesse a sua concepção da amizade: qual é para você o seu valor, a que princípios devemos obedecer.

SCEVOLA. – Sim, isso me daria realmente grande prazer e eu ia precisamente lhe fazer o mesmo pedido, quando Fânio se adiantou a mim. Portanto, daria, incontestavelmente, prazer a ambos.

5

17. LÉLIO. – Pela minha fé, eu consentiria em fazer isso sem reticências, se confiasse em mim: primeiro, o tema é magnífico e, depois, como disse Fânio, temos tempo. Mas quem sou eu ou, sejamos claros, tenho em mim os recursos necessários para improvisar sobre semelhante questão? Os sábios estão habituados, sobretudo os gregos, a que lhes façam perguntas que eles debatem tanto quanto desejam no mesmo instante: é a grande arte e isso pede um encadeamento considerável. Em consequência, para falar tudo o que é possível sobre a amizade, penso que vocês deveriam interrogar aqueles que fazem profissão desse tipo de exercícios. No que me diz respeito, tudo o que posso fazer é incitá-los a preferir a amizade a todos os bens desta Terra; nada, de fato, se harmoniza melhor com a natureza, se casa melhor com os momentos, positivos ou negativos, da vida.

18. Antes de mais nada, a amizade, estou convencido disso, só pode existir entre os *homens de bem*. Não vou examinar em detalhes essa noção, como alguns cujo raciocínio teórico é mais exigente, sem dúvida merecidamente, mas sem grande benefício para o governo das pessoas comuns. Os possuidores de tal raciocínio teórico acham que só é homem de bem o sábio. Admitamos. Mas eis que eles definem essa sabedoria de tal forma que nenhum mortal até hoje pôde segui-la; ora, a nossa sabedoria deve levar em conta o que constitui o costume e a vida comum, não o que faz a substância dos sonhos e dos desejos. Eu nunca poderia dizer que Caio Fabrício, Mânio Cúrio, Tibério Corunciano, que os nossos avós consideravam sábios, o eram realmente, se eu aplicasse as normas dos nossos brilhantes teóricos: portanto, que eles guardem para si a definição da palavra sabedoria, com o que ela comporta de invejável e de obscuro, e nos concedam que os nossos concidadãos sejam *homens de bem*. Infelizmente, não consentirão: recusarão que esse título possa ser concedido a pessoas que não sejam "sábias".

19. Em definitivo, nós decidiremos isso com, como se diz, o nosso tosco tino. Todas as pessoas que, na sua conduta, vida, deram prova de lealdade, integridade, equidade, generosidade, que não têm em si cupidez, paixões, inconstância, e são dotadas de grande força de alma, como o foram os homens que citei há um instante, todas podem, acho, ser classificadas entre as *pessoas de bem*: o que as caracteriza, já que seguem, tanto quanto um ser humano pode, a natureza, que é o melhor dos guias para viver da melhor maneira.

Parece-me, nesse sentido, que somos feitos para que exista entre todos os humanos algo de social, e ainda mais forte porque os indivíduos têm acesso a uma aproximação mais estreita. Dessa forma, os nossos concidadãos contam mais para nós do que os estrangeiros; os nossos parentes próximos, mais do que as outras pessoas. Entre parentes, a natureza dispôs, na verdade, uma espécie de amizade; mas não resiste a toda prova. Assim, a amizade vale mais do que o parentesco, porque o parentesco pode esvaziar-se de toda afeição, ao passo que a amizade não: que se tire a afeição, e não há mais amizade digna desse nome, porém o parentesco permanece.

20. A força que contém a amizade se torna de todo clara para o espírito quando se considera isto: entre a infinita sociedade do gênero humano, que a própria natureza dispôs, um laço é feito e apertado tão estreitamente que a afeição se acha unicamente condensada entre duas pessoas, ou um pouco mais.

6

Assim, a amizade nada mais é que uma unanimidade em todas as coisas, divinas e humanas, combinação de afeição e benevolência: eu me pergunto se não seria, com exceção da sabedoria, o que o homem recebeu de melhor dos deuses imortais. Alguns gostam mais das riquezas, outros da saúde, outros ainda do poder, há os que gostam mais das honras, e muitas pessoas preferem os prazeres a ela. Esta última escolha é a dos brutos, porém as escolhas precedentes são precárias e incertas, repousam menos em nossas resoluções do que nas fantasias da fortuna. Quanto àqueles que põem na virtude o soberano bem, a sua escolha é certamente luminosa, pois é essa mesma virtude que faz nascer a amizade e a mantém, e sem virtude, não há amizade possível!

21. Assim que definirmos a virtude a partir dos nossos hábitos de vida e pensamento, em vez de avaliá-la, como algumas doutas personagens, segundo o esplendor verbal, poremos efetivamente no número dos homens de bem aqueles que são tidos como tais: Paulo Emílio, Catão, Galus, Cipião, Fílos. Estes últimos são modelos satisfatórios para a vida corrente: portanto, não falemos mais daqueles que não encontramos absolutamente nunca.

22. Dessa forma, portanto, uma amizade entre homens de bem tem tão poderosas vantagens que mal posso descrevê-las. Para começar, em que pode realmente consistir uma "vida vivível", como diz Ênio, cuja afeição trocada com um amigo não passaria por um enfraquecimento? O que há de mais agradável do que ter alguém a quem ousamos contar tudo como a nós mesmos? De que seria feito esse encanto tão intenso dos nossos sucessos, sem um ser para regozijar-se deles tanto quanto nós? Já as nossas derrotas, na verdade, seriam difíceis de suportar sem essa pessoa, para quem são ainda mais dolorosas de suportar do que para nós mesmos. Ademais, os outros privilégios só existem com vista a uma única forma de utilização: as riquezas, para serem gastas; o poder, para ser cortejado; as honras, para suscitar as lisonjas; os prazeres, para deles tirar gozo; a saúde, para que não se tenha de sentir dor e para que se disponham dos recursos do próprio corpo. Já a amizade contém inúmeras possibilidades. Para qualquer direção que se volte, ela está presente, socorredora, não se exclui de nenhuma situação, não é nunca inoportuna. É por isso que *nem a água, nem o fogo*, como se diz, *nos são mais úteis do que a amizade*. E não é da amizade comum ou medíocre, que, entretanto, também tem satisfação e utilidade, mas da verdadeira, da perfeita, que falo, tal qual existiu entre algumas personagens que são citadas. Pois a amizade torna maravilhosos os favores da vida, e os seus golpes duros, na medida em que são comunicados e divididos, ficam mais leves.

7

23. Ora, se a amizade encerra todos os tipos de vantagens, e em importância, ultrapassa todas, porque cobre o futuro com uma auréola de otimismo e não admite nem a desmoralização dos espíritos, nem a sua capitulação. Na verdade, observar um verdadeiro amigo equivale a observar alguma versão exemplar de si mesmo: os ausentes então ficam presentes, os indigentes ficam ricos, os fracos se enchem de força e, o que é mais difícil de explicar, os mortos ficam vivos: na medida em que o respeito, a lembrança, a saudade dos amigos continuam apegados a nós. De modo que a morte de alguns não parece uma infelicidade, e a vida dos outros suscita a estima. Enfim, se separássemos da ordem natural a relação de amigável simpatia, nenhuma casa, nenhuma cidade ficaria de pé, e a agricultura não poderia subsistir. Se não captamos bem qual é a força da amizade e da concórdia, podemos ter uma ideia dela por meio das dissensões e das discórdias. Na verdade, que casa bastante sólida, que cidade possui coerência suficiente para não correr o risco, por causa dos ódios e dos desentendimentos, de ser completamente arruinada? É por aí que podemos avaliar o que há de bom na amizade.

24. Um sábio homem de Agrigento[21] exprime até mesmo em poemas em grego, aos quais nos reportamos, essa ideia visionária de que, fixas ou móveis, todas as coisas na Natureza e no Universo todo se estruturam graças à amizade, e se deslocam em razão da discórdia. O que todos os mortais, aparentemente, a um só tempo compreendem e demonstram nos fatos: se acontece a alguém de ajudar um amigo em perigo, seja interpondo-se, seja prestando-lhe mão forte, quem lhe regateará felicitações entusiastas? Quantos clamores no teatro todo, recentemente, durante a nova peça do meu hóspede e amigo Marcos Pacúvio: foi no momento em que, frente ao rei que ignorava qual dos

---

21. Trata-se do filósofo Empédocles, de quem se acabam de descobrir novos fragmentos de obra em Estrasburgo.

dois era Orestes, Pílado dizia que Orestes era ele, para ser executado no lugar do seu amigo, enquanto Orestes, de acordo com a verdade, continuava a sustentar que ele era Orestes! Todos os espectadores ficaram de pé para aplaudir uma ficção: o que acham que teriam feito diante de uma realidade? A própria natureza demonstrava claramente o seu poder, naquele instante em que alguns homens viam em outros um ato de lealdade de que eles próprios eram incapazes. Eis aí: acho que expliquei o melhor que pude a minha concepção da amizade. Se vocês quiserem mais – não duvido de que haveria muito ainda a ser dito –, vão interrogar, à sua escolha, aqueles que fazem profissão de discutir sobre tais questões.

25. FÂNIO. – Preferimos interrogar você. Pois eu com frequência perguntei e escutei, sem desprazer, confesso, tais pessoas; mas a sua maneira de explicar tem algo de diferente.

SCEVOLA. – Então, o que não teria você dito, Fânio, se estivesse tido, outra vez, nos jardins de Cipião, quando se discutiu sobre a república e sobre o seu funcionamento? Que defensor da justiça ele foi, frente à eloquência estilizada de Fílos!

FÂNIO. – Com certeza era fácil, para um homem profundamente justo, defender a justiça.

SCEVOLA. – Quê? Não seria a amizade um tema fácil para alguém que a cultivou com tanta lealdade, constância e justiça, como aquilo que lhe valeu o seu mais belo título de glória?

8

26. LÉLIO. – Mas eles me estão pondo contra a parede! Que relação, estão fazendo isso "por uma boa causa"? Vocês usam incontestavelmente a força! Já é difícil resistir aos desejos de ambos os genros, mas se, ainda por cima, eles estão cheios de boas intenções, a resistência não é nem mesmo mais justificável!

Portanto, no mais das vezes, ao refletir sobre a amizade, tenho o costume de voltar ao ponto que me parece fundamental: é por fraqueza e indigência que se procura a amizade, cada qual, por sua vez, tendo em vista, por meio de uma reciprocidade de serviços, receber de um outro e dar-lhe esta ou aquela coisa que não consegue obter pelos seus próprios meios, ou isso não seria uma das suas manifestações, tendo a amizade principalmente uma outra origem, mais interessante e mais bela, encerrada na própria natureza? O amor, na verdade, de onde provém a palavra amizade, está no fundamento primeiro da simpatia recíproca. Quanto aos favores, não é raro obtê-los de pessoas que acalentamos com um semblante de amizade e com uma premência circunstancial: ora, na amizade, nada é fingido, nada é simulado, tudo é verdadeiro e espontâneo.

27. Isso tenderia a provar que a amizade sai da natureza, parece-me, em vez da indigência; que é uma inclinação da alma associada a certo sentimento de amor, em vez de uma especulação sobre a dimensão dos benefícios que dela se tirará.

Podemos constatar essa mesma condição até em alguns animais, que amam os seus filhotes por um tempo dado e são por eles igualmente amados: o seu sentimento é evidente. No homem, é mais evidente ainda: primeiro, porque existe uma ternura especial entre pais e filhos, impossível de destruir, a não ser por um crime execrável; em seguida, quando o mesmo sentimento de amor surge de um encontro fortuito com uma pessoa cujos costumes e caráter coincidem com os nossos, porque ela nos parece interiormente iluminada, por assim dizer, de probidade e virtude.

28. Nada, pela minha fé, é mais digno de amor do que a virtude, nada proporciona mais vantagens do que se apegar a ela, dado que virtude e probidade, de certa forma, nos fazem sentir apego até mesmo por pessoas que nunca vimos. Quem evocaria sem certa benevolente simpatia a memória de Caio Fabrício, Mânio Cúrio, Tarquínio, o Soberbo, Espúrio Cássio, Espúrio Mélio? Dois chefes rivalizaram conosco com as armas pela supremacia na Itália: Pirro e Aníbal. A honestidade do primeiro evita que sintamos por ele demasiada animosidade; o segundo será sempre odioso à nossa cidade pela sua crueldade.

9

29. Se há tanta força no valor moral quanto o amamos, seja nas pessoas que nunca vimos, seja, o que é mais chocante, até mesmo num inimigo, é preciso surpreender-se com o fato de que o coração humano se emociona quando lhe parece, nas pessoas com as quais ele vislumbra estabelecer relações íntimas, perceber virtude e retidão? No mais, o sentimento se confirma por um benefício recebido, por uma inclinação desvelada, por uma frequentação regular. Coisas que, nutrindo esse primeiro movimento da alma e do amor, fazem maravilhosamente flamejar a intensidade de uma afeição.

Mas quando pretendem que ela provém da fraqueza, com base no fato de que há, na amizade, alguém para dar a outro alguém o que este deseja, eles abandonam a origem da amizade à abjeção e à mesquinharia total: fazem dela uma coisa nascida, por assim dizer, do transtorno e da indigência. Se fosse assim, qualquer pessoa que se julgasse a mais intimamente desprovida seria a mais apta à amizade. A realidade é muito diferente.

30. Pois aquele que tem mais autoconfiança, aquele que é bem provido de virtude e de sabedoria a ponto de não precisar de ninguém e que sabe que tem tudo em si, prima sempre na arte de fazer amizades e de mantê-las. Quê! O Africano? Precisava de mim? Senhor! De modo algum. Nem tampouco eu dele, mas eu lhe admirava a força da personalidade: ele, por sua vez, talvez não tivesse uma opinião demasiado ruim sobre o meu temperamento: ele me apreciava. O hábito de vermo-nos aumentou a nossa simpatia recíproca. Mas ainda que muitíssimas vantagens importantes tenham resultado da nossa amizade, com certeza não foi a ambição de obtê-las que provocou a nossa afeição.

31. Na verdade, quando somos generosos e benevolentes, quando não exigimos reconhecimento – não gozando antecipadamente de nenhum benefício para nós mesmos, sentindo apenas uma inveja espontânea de ser generoso –, aí que é bom, acho, não guiados por uma esperança mercantil, porém convencidos de que o amor traz em si o seu fruto, tentar travar amizade.

32. Dessa forma, estamos muito longe das pessoas que, a exemplo dos animais, voltam tudo para a volúpia. Isso não é surpreendente. Como poderiam voltar-se para algo elevado, magnífico, divino, elas que rebaixaram todo cuidado para o nível de uma coisa tão vil e tão desprezível?

Isso basta para eliminá-las da nossa conversa, porém tenhamos em mente que é a natureza que engendra o sentimento de afeição e de ternura nascida da simpatia, uma vez estabelecida a prova da lealdade. Os que a procuram se abordam, em seguida se frequentam mais de perto, para se beneficiarem da presença daquele por quem começaram a sentir afeição, e da sua personalidade; para instaurar uma reciprocidade e uma igualdade de afeição: mostram-se, então, mais inclinados a prestar serviços do que a exigir retorno e entre eles se estabelece uma nobre rivalidade. É por isso que a um só tempo se tirarão da amizade as maiores vantagens, e, por ter saído da natureza em vez da fraqueza, o seu crescimento será mais intenso e mais verdadeiro. Pois se o interesse cimentasse as amizades, na menor mudança de interesses, nós as veríamos desfazer-se. Mas como a natureza não poderia mudar, as verdadeiras amizades são eternas. É essa, portanto, a origem da amizade, a menos que vocês achem algo a redizer sobre isso.

FÂNIO. – Não, pode prosseguir, Lélio. Respondo afirmativamente por ele, pois a minha condição de mais velho me dá esse direito.

33. SCEVOLA. – Não contestarei esse ponto. Somos todos ouvidos!

10

LÉLIO. – Que assim seja; agora, escutem bem, meus excelentes rapazes, o que Cipião e eu costumávamos discutir acerca da amizade. Nada é mais difícil, apesar de tudo, dizia ele, do que manter intacta uma amizade até o último dia da vida. Pois geralmente acontece de ora os interesses, ora as sensibilidades políticas divergirem; geralmente também o caráter dos homens se altera, dizia ele, por causa de alguns revezes, ou por causa do fardo crescente da idade. E, a título de exemplo, ele fazia um paralelo com o começo da vida, em que as nossas amizades infantis são em geral postas de lado com a toga pretexta.[22]

34. Quando resistem a isso, acrescentava ele, acabam sendo destruídas durante a adolescência por diversas rivalidades, seja pela perspectiva de um casamento, seja porque os dois amigos não estão em condições de obter as mesmas facilidades na vida. No que diz respeito àqueles cuja amizade resistiu mais tempo, esta é abalada, apesar de tudo, quando intervém rivalidades de carreira política:[23] a mais desastrosa das calamidades que afeta as amizades, na maior parte dos homens, provêm do atrativo do ganho, e, nos melhores, da concorrência para alguns postos de magistrados e para a glória: essa concorrência provoca frequentemente as mais irremediáveis desavenças entre os maiores amigos.

35. Outras violentas dissensões nascem, e geralmente com razão, quando a um amigo se pede algo inconveniente, como ajudar na sujeição de uma paixão ou ser cúmplice de uma injustiça. Os que se recusam a fazer esse tipo de coisa, recusam com total honestidade: no entanto, os amigos pelos quais não se deixaram levar os acusam de falhar no cumprimento dos deveres de amizade; ora, aqueles que ousam

---

22. O abandono da toga de faixa vermelha (denominada "pretexta") das crianças indicava a entrada na adolescência e o começo da "vida ativa".
23. Carreira designada *Cursus Honorum* – A Corrida às Honras –, gradação de magistraturas que davam no consulado, depois, no posto de senador (vitalício), e que constituía para o romano novíssimo de boa família o único percurso para o êxito pessoal.

pedir qualquer coisa a um amigo atestam, pelo seu próprio pedido, que nenhum escrúpulo os detém, quando se trata de favorecer a causa de um amigo. As suas recriminações costumam ter por efeito não apenas acabar com as afeições mais antigas, mas também engendrar ódios eternos. Essas são as múltiplas ameaças, quase fatais, que prejudicam a amizade: para conseguir sofismar todas, Cipião dizia que era preciso sabedoria, mas também sorte, parecia-lhe.

11

36. É por isso que veremos primeiro, se permitirem, até aonde a afeição pode ir, em se tratando de amizade. Se Coriolano tivesse amigos, seriam eles obrigados a carregar armas com Coriolano contra a sua pátria? Será que os amigos deviam apoiar Vecelino, ou Mélio, quando eles intrigavam para se tornarem reis?

37. Quando Tibério Graco destroçou a república, nós o vimos ser abandonado por Quinto Túbero e pelos amigos da sua geração. Já Caio Blóssio Cumano, pelo contrário, um hóspede da sua família, Scevola, quando vinha suplicar-me – porque eu era conselheiro oficial junto aos cônsules Lênas e Rúpilo – que lhe perdoasse os erros, pensou em desculpar-se assim: como Tibério Graco fez grandes coisas,[24] Caio estava convencido de que devia segui-lo no que quer que ele fizesse. Então, disse eu:

> "Mesmo se ele desejasse que você pusesse fogo no templo do Capitólio?
> – Ele – disse –, nunca desejaria isso, mas se desejasse, eu o faria".

---

24. Os irmãos Graco eram de uma ilustre e nobre família e tinham inteligência e cultura extremas. Sentindo que o fosso que havia entre os imensamente ricos patrícios e o povo seria o túmulo dos libertos e da república – clarividência política admirável, já que menos de cem anos depois se estabeleceria definitivamente a ditadura militar imperial –, eles haviam tentado, e parcialmente obtido, fazer votar as leis agrárias e de cidadania, para uma repartição mais equilibrada das terras. Contudo, não conseguiram convencer os patrícios, seus pares, notadamente a riquíssima e gloriosa família dos Cipiões (os Túberos eram amigos deles), que os acusavam de ser agitadores, e de incentivar a guerra civil. Embora os gregos tivessem deixado um traço memorável, e que alguns haviam terminado – Cícero, não: mas a república submergirá com ele engolindo-o no seu fim! – por reconhecer a sua lucidez, a sua luta pelo povo, a justiça, a Roma republicana lhes custou a vida. Os seus partidários, sem chefes, procuraram fazer uma emenda honrosa: disso se infere que a admiração de Cumano era, de fato, justificada!

38. Imaginem a impiedade dessa voz criminosa! E, meu Deus, havia tantas coisas desse tipo, e até mesmo muito mais do que se confessavam: não apenas ele concordou com as intrigas temerárias de Tibério Graco, mas também as inspirou: não procurou um simples companheiro, porém um instigador, para as suas loucuras. De modo que esse terrível desvio o levou, atemorizado por uma nova comissão de investigação, a fugir para a Ásia: lá se juntou às suas forças inimigas, mas acabou por pagar o que devia à república com uma pena pesada e justa. É porque não há nenhuma desculpa para as más ações, mesmo que a pessoa aja mal por amizade. Na verdade, como a convicção da virtude é a alcoviteira da amizade, é difícil conservar essa amizade se se falta com a virtude.

39. Sabemos que Papo Emílio foi amigo íntimo de Luscino – como os nossos pais nos contaram –, e que eles foram por duas vezes cônsules, em seguida, colegas durante a sua censura;[25] além disso, os laços que tinham com Mânio Cúrio e Tibério Corunciano, estes próprios extremamente ligados, permaneceram em todas as memórias. Não dá nem mesmo para imaginar suspeitar que um deles exigisse de um amigo o que quer que fosse contrário à lealdade, à fé jurada, à república. Pois, no caso de tais personagens, de que serviria precisar que, mesmo se um deles pedisse, nada obteria, sabendo que eram homens rigorosamente irrepreensíveis e que é também criminoso satisfazer, bem como formular semelhante pedido? Ao passo que, de fato, Tibério Graco foi muito bem sustentado por Caio Carbo, Caio Cato e pelo irmão Caio Graco, pouco excitado na época, extremamente agressivo hoje.[26]

---

25. A "censura" era uma magistratura prestigiosa: ser censor dava o direito de olhar, de examinar e de criticar publicamente, em quase todos os domínios administrativos e políticos. Os dois poderes, em Roma, estavam imbricados, o que fez com que a república morresse justamente na época de Cícero.
26. Após a morte do irmão mais velho, Caio Graco, calmo e estudioso, retomou a luta com uma violência de que ninguém o imaginava capaz.

12

40. Em amizade, se fará, portanto, lei não pedir nada vergonhoso, nem concordar com súplicas desse tipo. É realmente uma desculpa escandalosa, e de todo inaceitável, para más ações, pretender que se o Estado foi prejudicado, em compensação se ajudou um amigo.

Isso se aplica particularmente a nós, caros Fânio e Scevola: ocupamos uma posição tal que o nosso dever é prever de longe os acontecimentos que farão o destino da república. Esta já se desviou, toleravelmente, da direção e do percurso traçado pelos nossos ancestrais.

41. Tibério Graco tentou ocupar o lugar de rei,[27] ou melhor, ele realmente reinou durante alguns meses. Tinha o povo romano alguma vez visto ou ouvido semelhante coisa? Depois da sua morte, o que os seus fiéis e próximos fizeram com Públio Cipião,[28] não posso falar sem lágrimas. Quanto a Carbo, nós o apoiamos como pudemos, por causa da execução recente de Tibério Graco. Mas que esperar do tribunato de Caio Graco: de lá é impossível sair bons augúrios! A coisa sobe em seguida, se ramifica, e sobre o declive do desastre, quando já tomou bem o seu impulso, arrasta tudo. Vocês já viram, no que diz respeito à maneira de votar, quantos desgastes provocaram, com dois anos de intervalo, as leis Gabínia e Cássia.[29] Parece que já vejo o povo dissociado do senado,

---

27. Embora o contexto histórico permaneça ambíguo, parece que Cícero aqui, pela voz de Lélio, se junta a um rumor caluniador. De qualquer modo, psicologia "histórica" e "verista" de Lélio, ou ponto de vista do próprio Cícero, é simplesmente do "farisianismo" de um rico patrício, da sua convicção de ser um justo junto aos seus pares – e não do povo em geral- que se trata aqui. A "coisa": na verdade a ideia de que os patrícios não têm de ter vantagens de direitos sobre as pessoas comuns.
28. Outro Cipião, apelidado de Serápio, proclamado aos 27 anos "o homem mais honesto da república". Como o cônsul Scevola se recusava a empregar a força contra Tibério Graco, que não tinha feito nada de ilegal, Públio Cipião Serápio, chefe de 300 partidários, foi ao Capitólio, em 133 a.C., massacrar Graco e os seus partidários. Odiado pelo povo, ele pediu, para fazer-se esquecer, um posto na Ásia onde morreu tempos depois, em Pérgamo, talvez envenenado.
29. Duas leis melhores do ponto de vista da democracia *moderna* – não era o caso de Roma, é claro – que instituíam o voto secreto nas eleições e nos júris, para impossibilitar as represálias contra os votantes ou os jurados.

e o arbítrio do populacho resolvendo as mais sérias questões. Pois se aprenderá mais facilmente a mover assim as massas de todas as formas, do que a lhes resistir.

42. Por que falo disso? Porque sem amigos, ninguém faz algo desse gênero. Eis, portanto, a lição que as pessoas honestas devem tirar disso: se o acaso as fez cair, contra a sua vontade, numa amizade desse tipo, não devem crer-se amarradas a ponto de não ousarem não se solidarizar com amigos que agem mal em algum negócio importante. Quanto aos indivíduos culpados de malversações, é preciso instaurar para eles um castigo, que não deverá ser menor para os seus seguidores nem para os instigadores de crimes contra a pátria. Quem foi mais ilustre na Grécia de Temístocles? Quem, mais poderoso? General do exército, ele havia libertado a Grécia da escravatura por ocasião da guerra pérsica; porém, o ciúme dos seus inimigos o mandaram para o exílio e ele não suportou a injustiça da sua ingrata pátria, como deveria: fez o que Coriolano fizera entre nós 20 anos antes. Porém, eles não encontraram ninguém para ajudá-los contra a sua pátria: foi por isso que ambos escolheram matar-se.[30]

43. Uma associação de pessoas sem fé, nem lei, não poderia, portanto, sustentar-se com a desculpa da amizade: deve-se, em vez disso, vingar-se de tal associação por todos os suplícios possíveis, para que ninguém se julgue autorizado a seguir cegamente um amigo, sobretudo quando este último põe a sua pátria em meio a fogo e sangue; a esse respeito, aliás, a julgar como as coisas voltam, eu me pergunto se não é isso o que nos espera num futuro próximo. Ocorre que o futuro da república depois da minha morte não me dá menos preocupação do que a sua evolução presente.

---

30. Isso é totalmente falso! Coriolano, general famoso, salvara Roma. Em 490 a.C., exilado, ele se aliou com os volscos contra a sua pátria, que pretendia destruir, quando sua mãe e sua irmã o dissuadiram. Os volscos o teriam matado por traição. Temístocles, em 471 a.C., mandado para o ostracismo, se tornou general do rei dos persas que o tratou com benevolência e lhe deu exércitos contra a sua pátria: ele teria cometido o suicídio no momento de atacar a Grécia. As duas mortes são questionáveis: muitos historiadores antigos pensam, em vez disso, que eles acabaram os seus dias na discrição.

13

44. Portanto, é realmente esta a primeira lei que é preciso instaurar na amizade: só pedir aos nossos amigos coisas honestas, só prestar aos nossos amigos serviços honestos, sem nem mesmo esperar que nos peçam, ser sempre entusiastas, afugentar a hesitação, ousar dar uma opinião com total liberdade. No âmbito da amizade, é preciso que predomine a autoridade dos amigos mais prudentes, e que essa influência seja aplicada para alertar os outros, não somente com franqueza, mas também com bastante energia, se for o caso, para que o conselho seja aplicado.

45. Notemos que algumas personagens, consideradas, pelo que sou levado a dizer, sábias na Grécia, propuseram teorias a meu ver muito estranhas; mas pouco importa que aquelas pessoas saibam discorrer por argúcias: para umas, deve-se fugir de todo leque de amizade um pouco vasto para não ter que ser apoquentado por uma multidão de pessoas; estamos bastante fartos, e até mesmo mais que bastante, pelos nossos próprios casos, para nos envolvermos demais nos casos de outros que só nos podem prejudicar; o mais judicioso é deixar, tanto quanto possível, a rédea no pescoço das nossas amizades, a fim de podermos, de acordo com a nossa vontade, puxá-la ou soltá-la. Na verdade, a principal coisa para vivermos felizes é a tranquilidade, da qual um espírito não pode gozar se estiver sozinho, em desavença com várias pessoas.

46. Porém, outros sustentam, dizem, teses muito mais indignas, às quais aludi brevemente, há pouco: seria por necessidade de assistência e proteção, e não de simpatia e afeição que se procura a amizade; segundo esse princípio, é à medida que se tem menos solidez e menos forças viris que se procura mais a amizade; é o que explicaria o fato de que as fracas mulheres procuram mais a proteção da amizade do que os homens; e os infelizes mais do que aqueles que têm fama de felizes.

47. Que bela sabedoria! Parecem que tiram o sol do mundo, aqueles que tiram a amizade da vida, ao passo que não recebemos nada melhor dos deuses imortais, nada de mais agradável. O que é, de fato, essa tranquilidade, aparentemente sedutora, mas que, no fim das contas, deve ser repelida em muitos casos? Sem contar que não é muito nobre, nem recusar o seu apoio numa empresa ou numa ação honesta, só para fugir das complicações, nem se desinteressar depois de ter começado a apoiá-la. E se nós afugentamos as preocupações, precisamos afugentar também a virtude, que implica inevitavelmente o seu lote de preocupações porque despreza e detesta tudo o que lhe é contrário: dessa forma, a bondade detesta a malícia, a temperança detesta a paixão, a coragem detesta a covardia; é por isso que vemos a injustiça fazer sofrer sobretudo os justos, a covardia os fortes, a infâmia as pessoas honestas. Em conclusão: a característica de um espírito bem constituído é regozijar-se com o que está bem e sofrer com o contrário.

48. Desse ponto de vista, se a dor afeta a alma do sábio – e muito certamente é o que acontece, exceto se se supõe que toda humanidade tenha a sua alma erradicada –, que razão justificaria que a eliminássemos completamente da nossa vida de amizade, só pelo motivo de que ela nos impõe alguns desagrados?

Qual seria a diferença, uma vez suprimida a emoção da alma, não digo entre um animal e um homem, mas entre um homem e um tronco de árvore, ou um rochedo, ou qualquer coisa do tipo? Tapemos, portanto, os ouvidos para os discursos dos indivíduos que gostariam que a virtude fosse dura e couraçada de ferro, ao passo que muitas vezes a amizade, que é terna e acomodadora, se dilata, diríamos, para acolher a felicidade de um amigo, e se contrai para confrontar os seus infortúnios. Desse ponto de vista, a ansiedade que geralmente somos levados a sentir por um amigo não é grande o bastante para expulsar a amizade da nossa vida: tampouco vamos repudiar as virtudes porque ocasionam preocupações e desagrados grandes o bastante.

14

Pelo fato de travarmos amizades, assim como eu disse antes, quando transparece algum indício de virtude ao qual uma alma similar pode apegar-se e associar-se, ao produzir-se isso, não deixa de haver afeição, assim como o sol nunca deixa de levantar-se.

49. O que há de mais absurdo do que ser atraído por vaidades como a honra, a glória, a edificação de monumentos, as roupas e o culto do corpo, e de não o ser por uma alma ornamentada de virtudes, que poderia amar, ou melhor, dar amor em troca de amor? Nada dá mais satisfação, na verdade, do que se ver recompensado pela própria gentileza, nada tem mais encanto do que trocar, cada um por vez, atenções e bons serviços.

50. Quê! Se ainda acrescentarmos, e temos o direito de fazê-lo, que nada mostra tanta força de sedução e atração do que a semelhança que faz travar a amizade, com certeza, concordarão conosco que é verdade que os homens de bem amam os homens de bem e a eles se associam, como se lhes estivessem ligados pelo parentesco ou pela natureza.

Nada é mais ávido do seu semelhante, nem mais rapace do que a natureza. Partindo disso, caros Fânio e Scevola, constatamos, para mim é evidente, uma simpatia quase inevitável dos bons entre si, que é o princípio da amizade instaurada pela natureza. Mas essa mesma bondade se estende também ao conjunto das pessoas. Na verdade, a virtude não é desumana, nem avara, nem orgulhosa: chega a ter por hábito proteger todos os povos e agir o melhor que pode pelos seus interesses, o que com certeza não faria se lhe repugnasse amar as pessoas.

51. Parece-me, ademais, que aqueles que prestam às amizades motivações baixamente utilitárias escamoteiam, ao fazer isso, o mais admirável nó da amizade. Pois não são tanto os serviços prestados por um amigo, mas a afeição, em si, desse amigo que dá prazer: o que um amigo nos oferece só nos faz felizes na medida em que o que é oferecido o é com afeição; e a indigência está longe de ser o motivo que leva a cultivar a amizade, se pensarmos que são os seres que no plano dos recursos, das riquezas, da virtude sobretudo, na qual reside o principal socorro, e que sentem menos falta do outro, é que são os mais generosos e gentis. Além disso, não sei se é uma boa coisa os nossos amigos não precisarem nunca de nada. Em que área, de fato, o nosso interesse um pelo outro poderia crescer, se Cipião jamais tivesse precisado de um conselho, nem de nenhum serviço da minha parte, seja na vida civil, seja nos exércitos? Portanto, não é a amizade que decorreu da utilidade, mas foi a utilidade que decorreu da amizade.

15

52. Vamo-nos abster, portanto, de escutar os homens que se derretem em delícias,[31] quando eles dissertam sobre a amizade sem ter sobre a matéria conhecimentos nem práticos, nem teóricos. Na verdade, quem sustentaria diante dos deuses e dos homens que sonha não amar ninguém e não ser amado por ninguém, só para se ver afogado em todas as riquezas e para viver na opulência total? É essa a vida dos tiranos, indiscutivelmente, em que não existe sinceridade alguma, ternura alguma, afeição durável alguma em que alguém pode confiar: tudo nesse tipo de vida é suspeito e alarmante, não há lugar para a amizade.

53. Quem amaria, pela minha fé, uma pessoa que tem medo ou uma pessoa que, pensa ela, lhe tem medo? Corre-se, no entanto, para cercar esse tipo de pessoas, por hipocrisia, tanto quanto as coisas duram. Mas se por acaso, como é o caso comum, tais pessoas caem, então se descobrem como eram desprovidas de amigos. Foi isso que Tarquínio, dizem, observou durante o exílio: ele teria descoberto naquele momento quem era leal ou desleal entre os seus amigos, porque, na sua situação, ele não podia devolver na mesma moeda nem aos leais nem aos desleais.

54. Parece-me surpreendente, além do mais, dado ao seu soberbo e odioso caráter, que ele tenha conseguido ter um amigo qualquer. De qualquer modo, assim como o caráter da personagem que acabo de evocar não lhe permitiu fazer verdadeiros amigos, o poder de que muitas pessoas poderosas dispõem é incompatível com qualquer amizade

---

31. Cícero designa aqui, sem dúvida, por oposição aos estoicos (romanos), os epicuristas desconhecidos e caluniados pelo falatório popular. Era verossímil que Lélio os conhecia mal, como a maioria dos romanos, em razão da vinda a Roma de gregos que se diziam filósofos para fazer um fundo de comércio com uma "moral do prazer" que só tinha longínquas relações com a doutrina de Epicuro – na verdade, mais ascética. Os seus discursos serviam essencialmente para justificar a vida de devassidão das ricas personagens que eles parasitavam.

fiel. Não é porque a Fortuna é só cega, mas porque ela torna sobretudo cegos, a maior parte do tempo, aqueles que favorece; por isso, eles deslizam facilmente para a arrogância e para a fatuidade e nada poderia ser mais insuportável do que um imbecil feliz. É assim que podemos ver as pessoas, até então de um comércio agradável, se metamorfosearem: sob o efeito do comando, do poder, do êxito nos negócios, ei-las desdenhando as antigas amizades para cultivar as novas.

55. Mas o que há de mais estúpido, quando se têm na mão riquezas, facilidades, consideração, do que se oferecer tudo o que pode proporcionar dinheiro, cavalos, domésticos, roupas luxuosas, louças preciosas, e não fazer amigos, que são, como eu o disse, o melhor e o mais belo ornamento da vida? Pois ao oferecer-se todos esses bens materiais, as pessoas não sabem nem tirar proveito deles, nem para quem trabalham tão duro: qualquer um desses bens materiais será de quem o tomar à força, porém nas amizades cada qual conserva um direito de propriedade firme e inalienável, de modo que, mesmo que nos restem os bens materiais, que são mais ou menos dons da Fortuna, uma vida desregrada e desertada pelos amigos já não pode oferecer um aspecto muito sorridente. Mas basta desse assunto.

16

56. No entanto, há limites na amizade, e quase limitações, a instaurar para a afeição. Sobre esse ponto, vejo apresentarem-se três teses diferentes, entre as quais nenhuma me satisfaz: para uma, *devemos ter por um amigo o mesmo sentimento que por nós mesmos;* para outra, *a nossa bondade para com os nossos amigos deve responder à sua bondade para conosco segundo uma estrita e simétrica reciprocidade;* para a terceira, *a opinião que cada qual tem de si dita a opinião que os seus amigos devem ter dele.*

57. Não assino, de modo algum, embaixo de nenhuma dessas três máximas. Já a primeira não é verdadeira, que diz que *devemos agir com os nossos amigos como faríamos com nós mesmos.* Quantas vezes, de fato, fazemos pelos nossos amigos coisas que não faríamos nunca por nós mesmos, solicitar uma personagem indigna, suplicar, ou então atacar com demasiada violência alguém e invenctivá-lo com demasiada paixão! Tudo isso que, no que diz respeito aos nossos próprios negócios, não seria honroso, se torna completamente nobre, em compensação, quando o fazemos pelos amigos, e existem muitas áreas em que geralmente homens de bem consentem em perder ou em não obter algumas vantagens, a fim de que sejam os seus amigos, em vez deles mesmos, que delas se beneficiem.

58. Há também outra máxima, que define a amizade *por uma equivalência de serviços e de atenções recíprocas.* É votar a amizade a uma contabilidade mesquinha demais, pela minha fé, querer essa paridade rigorosa entre o que se dá e o que se recebe. A verdadeira amizade me parece mais rica e mais desinteressada: não está a postos, severa, para controlar, caso não esteja em vias de dar vantagens que não recebeu. E para dizer tudo, não devemos temer que uma das nossas boas ações seja perdida, que uma das nossas proposições seja esquecida: na amizade, não se põe peso demais no prato da balança.

59. Quanto à terceira máxima, *a opinião que cada qual faz de si dita a opinião que os seus amigos devem fazer dele*, é realmente a pior definição! Não é raro, de fato, em algumas pessoas, que o moral seja baixo demais, ou que a esperança de uma melhora da sua sina seja vaga. Portanto, não cabe a um amigo manter com uma pessoa a mesma relação que ela mantém consigo mesma: em vez disso, o amigo deverá esforçar-se para subir o moral dessa pessoa, e conseguir, aos poucos, insuflar-lhe o otimismo e pensamentos mais positivos.

Vemos que falta estabelecer uma nova definição da verdadeira amizade. Voltarei a isso assim que tiver exposto a definição que Cipião costumava clamar mais: segundo ele, não se podia encontrar discurso mais hostil para a amizade do que o da personagem que dizia: "*Importa amar como se o futuro nos reservasse odiar*"; ele não podia consentir em crer que, como se pensa, Bias dissera isso, ele que tinha a reputação de ser um dos Sete Sábios; essa máxima provinha de alguém infame, ambicioso, que só se preocupava com o próprio poder. Como se poderia ser amigo de alguém que se imagina que pode tornar-se o inimigo? Mais ainda: será preciso desejar e querer que o amigo cometa erros o mais amiúde possível, para que preste, assim, toda vez, o flanco à reprovação: ao contrário, os atos de retidão e os privilégios dos amigos inspirarão forçosamente ansiedade, dor, ciúme.

60. É por isso que semelhante regra de conduta, quem quer que seja o seu inventor, só serve para destruir a amizade. Em vez dessa, a regra que ele devia ter ensinado é escolher o leque das nossas amizades com bastante cuidado para nunca começar a amar alguém que corremos o risco de odiar. Ademais, se por acaso não fôssemos muito felizes na escolha das nossas afeições, Cipião achava que era preciso suportar isso em vez de preparar-se para tempos de inimizades.

17

61. Portanto, são estes os limites a respeitar, na minha opinião: se os costumes dos amigos forem bem policiados, eles instaurarão entre si uma comunidade de todas as coisas, ambições, projetos, sem nenhuma exceção; além disso, se por acaso ocorrer a necessidade de ajudar amigos em projetos muito convenientes, em que estão em jogo a sua pessoa ou reputação, um desvio de conduta será permitido, com a condição de que a honra não tenha que sofrer gravemente em decorrência disso. De fato, até certo ponto, há concessões que se podem fazer à amizade sem que seja realmente necessário renunciar à nossa reputação, ou perder de vista que a simpatia dos cidadãos, no âmbito político, não é uma arma que se deva subestimar: que seja ignóbil recolhê-la por lisonjas e demagogia não implica que a virtude, que suscita também a afeição, deva, o mínimo que seja, ser rejeitada.

62. Ora – volto com frequência a Cipião, cujas conversas giravam em torno da amizade –, ele se queixava de que os homens investiam mais em todas as outras atividades: cada qual pode dizer quantas cabras e carneiros tem, mas não conseguiria dizer quantos amigos tem; quando as pessoas adquirem esses animais lhes dão o maior cuidado, ao passo que na escolha dos amigos são negligentes e não sabem em que tipo de indícios, de referências, se querem, confiar para reconhecer aqueles que seriam capazes de ser amigos.

Nesse sentido, são as pessoas seguras, estáveis, constantes que é preciso escolher, uma espécie muito rara. Acontece que é difícil julgá-las corretamente sem a prova dos fatos, e justamente essa prova só pode ser realizada na própria amizade. De modo que a amizade precede o julgamento e suprime qualquer possibilidade de pôr à prova.

63. Qualquer pessoa que reflete, por conseguinte, saberá conter, como uma atrelagem, o impulso espontâneo da sua simpatia, com o qual se comportará da mesma forma que se comporta com os cavalos para testá-los: assim, na perspectiva de uma amizade, sondaremos primeiro, de alguma maneira, o caráter dos amigos. Há aqueles que, em muitos casos, por um pouco de dinheiro, deixam ver a sua versatilidade; outros, em compensação, que uma fraca soma não pôde abalar, diante de uma grande se deixam desvendar. É verdade que se descobrem aqueles que consideram sórdido preferir o dinheiro à amizade, mas onde encontraremos aqueles que não deixam escapar as honras, as magistraturas, os comandos militares, o poder, o prestígio antes da amizade, que quando tais privilégios estão na balança com as exigências da amizade, preferem de longe os primeiros? A natureza, de fato, é covarde quando lhe é necessário desprezar o poder: mesmo que eles o tenham obtido desprezando uma amizade, pensam que a sua responsabilidade está ilesa, porque foi por um motivo de importância capital que falharam na amizade.

64. Isso explica por que é difícil encontrar verdadeiras amizades naqueles que se preocupam com honras e negócios públicos. Onde descobriremos alguém que ponha a glória de um amigo antes da sua? Onde? E mais, passo por toda dor, por toda dificuldade, no mais das vezes, para partilhar dos infortúnios dos outros! Não é fácil encontrar pessoas que consintam a isso. No entanto, o poeta Ênio disse muito apropriadamente:

O amigo certo se vê nos dias incertos.

Há ainda duas coisas que demonstram na maioria das pessoas a inconstância e a fraqueza de caráter: quando tudo vai bem, elas não levam isso em conta, quando tudo vai mal, desertam. Por conseguinte, aquele que em ambos os casos se mostrar profundo, constante, estável na amizade, é um homem que devemos considerar como de essência raríssima, quase divina.

18

65. Todavia, essa estabilidade, essa constância são da sua parte uma confirmação do que buscamos na amizade: a lealdade. Nada é estável, na verdade, no que é desleal. Para ser nosso igual, é preciso escolher, além disso, um ser franco, afável, com que nos podemos entender, isto é, que reaja às coisas do mesmo modo que nós. Tudo isso está relacionado com a fidelidade. Não pode, de fato, existir lealdade numa inteligência complicada e tortuosa e, pela minha fé, aquele que não reage às mesmas coisas, cujo temperamento não está em harmonia com o nosso, não poderia mostrar-se fiel, nem estável. Acrescentemos que ele não deve ser daqueles que fazem um prazer lançar acusações ou crer naquelas que se apresentam. Traços que, todos, têm relação com essa constância sobre a qual venho refletindo já há muito tempo. Assim se verifica o que eu disse no começo: só pode existir amizade entre homens de bem. Cabe, na verdade, ao próprio homem de bem, que agora nos é permitido chamar de *sábio*, ater-se, em amizade, a estas duas regras de conduta: primeiro, não admitir o que é fingido ou simulado, pois é mais honesto odiar abertamente do que dissimular, sob uma face hipócrita, o próprio sentimento. Em seguida, não se contentar em repelir as acusações feitas por alguém, mas guardar em si mesmo uma suspeita que leve a imaginar constantemente que o amigo teria algo a se censurar.

66. Acrescentemos a isso certa afabilidade na conversa e nas maneiras, com a qual não se deve negligenciar apimentar a amizade. Se a austeridade e o rigor em todas as coisas têm nobreza, a amizade deve ser, no entanto, mais relaxada, mais espontânea, mais agradável, e mais propensa, de maneira geral, à amenidade e ao convívio.

19

67. Nessa área, contudo, apresenta-se um problema um pouco delicado: não deveríamos, em alguns casos, dar prioridade a amigos recentes, dignos dessa amizade, em detrimento dos antigos, como temos o costume de dar prioridade aos cavalos novos em detrimento dos velhos? Hesitação indigna de um homem! Pois não poderíamos admitir, como fazemos noutros âmbitos, saciedade na amizade: a mais antiga, como os vinhos que passam pelo envelhecimento, deve ser a melhor e se diz a verdade, quando se diz que é preciso engolir muitos alqueires de sal juntos, antes que sejam cumpridos os nossos deveres de amigos.

68. Isso porque, se os novos conhecidos, como plantas que nos fazem esperar que amadureçam o fruto gozado antecipadamente, não devem evidentemente ser rejeitados; devemos, entretanto, manter a antiguidade no seu lugar. Há, na verdade, uma força muito profunda na antiguidade e no hábito. Mesmo no caso de um cavalo, para retomar a comparação, não há ninguém que não montará, se nada o impedir, mais de bom grado aquele a que está habituado do que um novo animal que ele jamais fez trabalhar. Essa questão do hábito, aliás, não vale apenas para o reino animal, mas também para as coisas inanimadas, com a predileção que sentimos por alguns lugares, mesmo montanhosos e eriçados de florestas, onde residimos mais tempo do que em outra parte.

69. Porém, o mais importante na amizade é apagar a diferença de nível social com um inferior. Pois, às vezes, há personalidades excepcionais, como Cipião, digamos, em nosso círculo. Ocorre que ele, em relação a Fílos, Rúpilo, Múmio, jamais lhes tomou a frente, nem em relação a nenhum dos seus amigos de uma classe inferior. Assim, ao seu irmão Quinto Máximo, personagem de todo notável, embora muitíssimo desigual a ele, e que o superava em idade, Cipião tratava como superior, e queria que por meio dele pudesse ser reerguida a imagem de todos os seus.

70. Maneira de agir que os homens no seu conjunto deveriam imitar, caso adquiram alguma superioridade pela sua virtude, gênio, fortuna, partilhando tudo isso com os seus e a isso associando os seus íntimos, ou se os seus pais forem de humilde berço, se eles tiverem amigos próximos pouco brilhantes pelo espírito ou pela fortuna, elevando o seu nível de recursos e obtendo-lhes honras e dignidades. A exemplo dessas personagens de peças de teatro que passaram, por algum tempo, pela ignorância do seu sangue e da nobreza das suas origens, pela servidão, mas que, uma vez descobertas e restabelecidas na sua filiação real ou divina, não deixam de conservar a sua afeição pelos pastores que eles haviam tomado por pais durante muitos anos. Comportamento que, é claro, se impõe com mais razão ainda quando se trata de pais autênticos e incontestáveis. Porque o benefício que se tira do talento, da virtude e de todo tipo de excelência culmina a partir do momento que a ele estão associadas as pessoas do nosso círculo.

20

71. Assim, portanto, aqueles que têm superioridade na rede de amizades e alianças devem saber pôr-se no mesmo plano que os menos brilhantes: assim como os mais modestos não devem queixar-se de ser ultrapassados pelos seus amigos, quer seja em gênio, em fortuna, ou em dignidade. A maior parte deles tem sempre uma reclamação ou uma censura qualquer a fazer, e ainda mais severa quando pensam que estão no direito de fazer valer algum serviço prestado por gentileza, e ao preço de certa dor. Odiosa espécie, realmente, a dessas pessoas que censuram os próprios serviços, que caiba àquele que deles se beneficiou *lembrar-se espontaneamente*, e não àquele que os propôs *lembrar-se deles constantemente!*

72. De modo que aqueles que têm uma posição de destaque não devem contentar-se em torná-la menos destacada na amizade, devem também de alguma forma alçar as posições mais modestas. Há, de fato, pessoas que tornam as amizades difíceis, porque se julgam desprezadas; semelhante coisa em geral só acontece com aqueles que consideram a si mesmos desprezíveis, e é preciso empenhar-se em subtrair-lhes semelhante opinião do espírito por palavras, mas sobretudo por atos.

73. A esse respeito, para começar, não vamos prometer mais do que podemos fazer, em seguida, nem que a pessoa a quem nos afeiçoamos e queremos ajudar possa enfrentar isso. Não poderíamos, na verdade, ainda que fôssemos eminentes, levar todos os próximos às dignidades supremas; ocorre que Cipião conseguiu obter o consulado para Públio Rúpilo, mas não para o seu irmão Lúcio. Supondo que pudéssemos oferecer tudo o que desejássemos a alguém, é entretanto necessário verificar se o outro tem estofo para tanto.

74. Em regra geral, só julgaremos as amizades quando elas já estiverem fortalecidas e confirmadas, ao mesmo tempo pela evolução dos caracteres e pelas épocas da vida, e não é porque, na sua primeira juventude, as pessoas se frequentaram à caça ou ao jogo de bola, que elas devem manter-se inseparáveis daqueles que amaram, no tempo em que partilharam uma mesma paixão. Na verdade, desse ponto de vista, caberia às amas e aos preceptores, por direito de antiguidade, reclamar a maior parte de afeição: longe de mim o pensamento de que devemos negligenciá-los, mas não é assim que as coisas acontecem. De outra forma, as amizades não poderiam permanecer estáveis. Pois as diferenças entre os temperamentos provocam interesses diferentes, cuja divergência desfaz as amizades: que outra razão poderíamos dar ao fato de que as pessoas de bem não podem ser amigas das pessoas desonestas, nem as pessoas desonestas amigas das pessoas de bem, a não ser a de que há entre elas a distinção de temperamentos e de gostos mais considerável que possa existir?

75. Podemos também postular justamente como princípio, nas amizades, que uma afeição desmesurada, como acontece muito amiúde, não tem de frear amigos em vias de obter grandes vantagens. Assim, e volto ao teatro, Neoptolemeu não poderia ter pretendido Troia, se tivesse consentido, por ter sido educado na casa do avô Licômedes, em ter direito às abundantes lágrimas do velhinho que queria impedi-lo de prosseguir o seu caminho. E é com frequência que ocorrem importantes acontecimentos que levam ao afastamento dos amigos! Aquele que quer evitar isso porque ocorre de a saudade lhe pesar muito, é uma pessoa de natureza fraca, frouxa e, exatamente por essa razão, está numa situação de todo falsa no plano da amizade.

76. Aliás, em todas as coisas, é preciso levar em conta o que exigimos de um amigo e o que admitimos que devemos conceder-lhe.

21

Existe até mesmo um tipo de flagelo que precisa por vezes romper as amizades. Pois o nosso propósito daqui para a frente, dos laços íntimos entre os sábios vai deslizar para as amizades vulgares. Muitas vezes, imprevisivelmente, alguns graves defeitos dos amigos se manifestam, seja acerca dos seus próprios amigos, seja acerca de outras pessoas, e, por desgraça, a desonra cai sobre os amigos. As amizades desse tipo, seremos bem inspirados se as deixarmos relaxar até o apagamento completo, pois, como ouvi Catão dizer, elas são mais propensas a descosturar do que a rasgar, exceto quando algum escândalo absolutamente intolerável estoura, a ponto de não podermos mais fazer o que quer que seja de direito nem de honesto para evitar que não ocorram logo conflitos e ruptura.

77. Mas se ocorrem algumas mudanças de caráter ou de gostos, como sói acontecer, ou dissensões de partidos, na república, deveremos ter cuidado para não darmos a impressão de que com o fim de uma amizade começa o ódio. Nada é mais vergonhoso do que declarar guerra a uma pessoa com quem vivemos numa estreita afeição. Cipião se desfez, a meu favor, como todos sabem, da amizade com Quinto Pompeu; em compensação, foram as dissensões na república que lhe alienaram o nosso colega Metelo: em ambos os acasos, ele agiu com autoridade ponderada e distância moral que não deixaram lugar para nenhuma amargura.

78. Disso decorre que a primeira coisa a fazer é evitar os conflitos entre amigos; se semelhante coisa ocorrer, que pareça que, em vez de ter sido sufocada, a amizade se tenha extinguido naturalmente. É preciso realmente cuidar para que, sobretudo, a amizade não se transforme num ódio funesto, que engendre querelas, insultos, censuras injuriosas. Se, apesar de tudo, isso ocorrer – no limite da tolerância, bem entendido –, será preciso, como homenagem à antiga amizade, fazer ato de resignação para que, assim, a culpa recaia sobre aquele que profere calúnias e não sobre aquele que as sofre.

De qualquer modo, frente aos ultrajes e preconceitos desse tipo, a única precaução consiste em não se apressar demais em amar, sobretudo as pessoas que não são dignas de amor.

79. São dignas de amizade aquelas pessoas que têm em si alguma qualidade intrínseca que faz com que sejam amadas. Espécie rara, como é rara qualquer coisa excelente: nada é mais difícil de descobrir do que aquele que, nessa categoria, é perfeito sob todos os pontos de vista. Mas a maioria das pessoas, entre as coisas humanas, só concede algum valor às pessoas que vêm acompanhadas de lucro potencial, e entre os seus amigos, amam sobretudo, a exemplo dos seus animais, aqueles dos quais esperam tirar o máximo de proveito possível.

80. Assim se privam dessa amizade, a mais bela e a mais autenticamente natural, a que aspiramos por si mesma e por causa dela mesma, porque tais pessoas não possuem em si o arquétipo do que é a realidade da amizade, a sua qualidade e a sua grandeza. Na verdade, cada qual ama a sua própria pessoa, não para receber de si os dividendos dessa afeição, mas porque a sua pessoa *em si* lhe é cara. Se não transpusermos isso de forma idêntica para o âmbito da amizade, jamais descobriremos o verdadeiro amigo. Que é aquele que é para nós um outro nós mesmos.

81. Se os animais, pássaros, peixes, do campo, domésticos, selvagens amam, primeiro, a si mesmos (sentimento que evidentemente nasce ao mesmo tempo que todo ser animado), em seguida eles procuram e desejam seres animados da mesma espécie aos quais se apegar, e fazem isso com manifestações de desejo e de amor muito parecidas com as dos humanos, como a natureza não levaria ainda mais um homem a amar a si mesmo, e a procurar um outro homem cujo espírito se mesclasse ao seu de forma tão íntima a ponto de os dois serem quase um?

22

82. Mas a maior parte das pessoas, por falta de discernimento, para não dizer por imprudência, querem ter um amigo como elas próprias não poderiam ser: gostariam de receber dos seus amigos o que estes não lhes dão. Convém, previamente, ser um homem de bem, antes de procurar alguém semelhante a si. Entre tais pessoas, a estabilidade na amizade, sobre a qual discutimos já faz um bom tempo, poderá consolidar-se com a condição de que, de uma parte, os homens unidos pela afeição comandem as suas paixões, quando os outros a elas se submetem, e, de outra parte, que eles se comprazam com a equidade e com a justiça, se apoiem mutuamente em tudo, que nunca um exija nada do outro que não seja honesto ou direito; e que eles não se contentem em se frequentar e se amar muito, mas que se respeitem. Pois o mais belo ornamento da amizade falta, quando falta o respeito.

83. É, portanto, um erro pernicioso, que algumas pessoas cometem, imaginar que na amizade a porta está aberta para todas as devassidões e para todos os atos desonestos: a amizade nos foi dada pela natureza como auxiliar das nossas virtudes, não como cúmplice dos nossos vícios, para que a virtude, não podendo sozinha alcançar o soberano bem, o alcance em conjunto e apoiada pela virtude do outro. Se, portanto, entre algumas pessoas, semelhante comunidade existe, existiu, ou vai existir, a sua associação deve ser considerada a melhor e a mais feliz via para a perfeição natural.

84. Num semelhante círculo de amizade, afirmo, estão todos os bens que os homens acham que é preciso buscar, consideração, glória, tranquilidade de espírito e alegria, de modo que, quando esse círculo existe, a vida é feliz, e sem ele, ela não o poderia ser. E como é o melhor e o mais importante, se quisermos atingi-lo, é preciso que dediquemos todos os nossos cuidados à virtude: sem esta, não podemos obter nem amizade nem nenhum desses bens dignos de ser cobiçados; aqueles que realmente negligenciaram a virtude e imaginam que têm amigos, percebem que se enganaram assim que uma grave dificuldade lhes impõe pôr os seus ditos amigos à prova.

85. Por todas essas razões – e é preciso redizê-lo –, é *só depois que pudemos julgar* que convém apegarmo-nos, e não julgar *depois* de estarmos apegados.

Aliás, em muitos casos, a negligência nos pune, sobretudo quando se trata de escolher e de apegar-se a amigos. Na verdade, tomamos as nossas decisões tarde demais e agimos contra o tempo, o que proíbe, no entanto, um velho provérbio.[32] Pois, implicados de diversos lados numa trama de relações cotidianas ou profissionais, é imprevistamente, estrebuchando por algum enfado, que rompemos, em pleno curso, as nossas amizades.

---

32. *Stultus est, qui rem actam agit* ("Tolo é quem age muito tarde"). Ver Plaut., *Pseudolus*, 260, Cícero, *Correspondência*, carta *ad Atticum*, IX, 18, 3.

23

86. Nisso, tanta despreocupação com algo de todo necessário merece uma repreensão severa. A amizade, na verdade, é o único afazer humano cuja utilidade é completamente reconhecida por todos. A despeito do quê, muitas pessoas desprezam a virtude em si, e dizem que esta não passa de poeira nos olhos e ostentação; muitas pessoas veem a riqueza do alto, e contentes com pouco, encontram satisfação num alimento ou num bem-estar de uma sobriedade refinada; quanto às horas, pelas quais alguns ardem de cobiça, quantas pessoas as desdenham, a ponto de pensar que não há nada de mais vão, nada de mais inconsistente! Ocorre o mesmo com todo o restante: o que parece a alguns admirável, aos olhos de muitos outros não vale nada. Pela amizade, em compensação, todas as pessoas têm um único e mesmo sentimento; aquelas que se consagraram à política, bem como aquelas que se dedicam ao conhecimento e à ciência, aquelas que administram os seus negócios tranquilamente, bem como aquelas que se entregaram por inteiro aos prazeres: sem amizade, a vida não é nada, pelo menos se queremos viver, por um lado ou por outro, como homens.

87. Pois a amizade se insinua, não sei como, em todas as existências e não admite nenhuma concepção de vida em que ela não entre. Melhor ainda, imaginemos alguém de natureza tão rude e selvagem que detesta e foge do comércio com os homens, como foi em Atenas o caso de não sei qual Timão, parece: mesmo semelhante indivíduo não poderia resistir à necessidade de procurar alguém para ao pé dessa pessoa vomitar a bile da sua amargura. Julgaríamos mais nitidamente ainda, se um deus nos pudesse tirar da multidão dos homens, nos pusesse em algum lugar solitário, e ali, fornecendo-nos abundante e discretamente tudo o que a natureza pode desejar, nos privasse de toda e qualquer possibilidade de rever humanos. Quem teria a alma temperada o bastante para suportar esse tipo de vida, e para evitar que a solidão não tirasse dos seus prazeres todo o sabor?

88. Portanto, é verdade o que o filósofo grego Arquitas de Tarento, acho, tinha o hábito de dizer, o que retiro dos nossos antigos, que, por sua vez, o retiraram dos seus avós: "Suponhamos que alguém suba aos céus, dali sonde com o olhar a natureza do mundo e o esplendor dos astros: ele achará desagradável esse mesmo encantamento com o qual se encantaria se tivesse alguém a quem contá-lo". Assim, a natureza não ama nada que seja solitário e se apoia sempre à maneira de um tutor, porque na mais profunda amizade se acha também a mais profunda doçura.

24

Ocorre que quando por tantos sinais a própria natureza nos faz saber o que ela quer, procura, deseja, nós o fazemos, apesar do ouvido surdo, não sei por quê, e os avisos que ela nos dá escapam ao nosso entendimento. Certamente, nós os usamos com a amizade de numerosas e diversas formas, de modo que vêm, na sequência, tantos motivos de suspeitas e vexações, que cabe ao sábio evitá-los, apaziguá-los ou suportá-los.

De qualquer modo, há uma forma de suscetibilidade a corrigir, na amizade, para manter coesa a sua utilidade e confiabilidade: somos frequentemente obrigados a dar aos amigos conselhos, até mesmo a lhes fazer admoestações, e é necessário que o amigo em questão os aceite, já que são dados com boa intenção.

89. Todavia, sem que eu compreenda muito bem a sua justificação, o que diz um dos meus amigos em a *Andriana*[33] é verdade:

**A complacência engendra os amigos;
a verdade, o ódio.**

Funesta verdade, já que faz nascer o ódio que é o veneno da amizade: mas a complacência é mais funesta ainda, já que, ao tolerar as faltas, deixa o amigo escorregar para o abismo; entretanto, o mais culpado é aquele que, não contente de zombar da verdade, deixa a complacência levá-lo a cometer atos desonestos. Portanto, em tudo isso, temos razão de conter-nos, e em fazer de tudo para evitar o rigor demasiado no conselho, bem como o insulto na admoestação, mas que essa "complacência" – não economizamos no emprego da palavra de Terêncio – repouse na cortesia, e bane a lisonja, auxiliar dos vícios, que não é digna de um amigo, tampouco de um homem livre. Uma coisa é viver com um tirano, outra é viver com um amigo.

---
33. Título de uma peça de teatro de Terêncio.

90. Quanto àqueles cujos ouvidos estão tão bem fechados para a verdade, que não conseguem ouvir o verdadeiro da boca de um amigo, podemos ficar desesperados com a sua sanidade. A esse respeito, Catão, como amiúde, tem uma sentença perfeita:

> "Às vezes, vale mais lidar com rudes inimigos do que com alguns amigos, afáveis na aparência: em geral os primeiros dizem a verdade, os últimos nunca".

E a coisa mais estúpida é que as pessoas que aconselhamos não ficam entristecidas com o que devia entristecê-las, mas ficam vexadas com o que não deveria afetá-las; pois o erro cometido não as atinge de modo algum, em compensação lhes é difícil admitir as admoestações; o que, entretanto, conviria seria sofrer por terem-se tornado culpadas por um delito, e por regozijarem-se quando se lhes inflige uma correção.

25

91. Dar e receber conselhos é, portanto, o critério da amizade verdadeira, contanto que isso seja feito com independência de espírito, sem maldade, e que o outro aceite pacientemente, sem enervar-se: assim nos devemos persuadir de que não há maior flagelo na amizade do que a adulação, a lisonja, a baixa complacência. Pois, quer o chamemos de todos os nomes que quisermos, é preciso estigmatizar esse vício das pessoas frívolas e hipócritas, cujo discurso visa agradar, e nunca exprimir a verdade.

92. Como a simulação em todos os domínios é nefasta – já que desvia o nosso verdadeiro julgamento e o deforma –, causa repugnância particularmente à amizade: arruina a verdade, sem a qual a palavra amizade não tem mais o menor valor. Pois, se a força da amizade reside no fato de que ela reúne de certa forma vários espíritos num só, como isso poderá realizar-se se não podemos em cada qual encontrar um espírito único e estável, mas, pelo contrário, versátil, inconstante, múltiplo?

93. Que pode haver, de fato, de mais mutável, de mais transviado do que um espírito que gira como um cata-vento ao sabor das impressões, das decisões de um outro alguém, até mesmo de um franzir de cenho ou de um sinal da cabeça?

> Dizem não, digo não. Sim? sim!
> [Em suma: dei-me a mim mesmo
> Por lei consentir em tudo,

como diz também Terêncio,[34] mas dessa vez por meio da personagem de Gnatão, uma espécie de amigo que é em geral meio leviano frequentar.

---

34. Em sua peça *O Eunuco*.

94. Há, entretanto, muitos semelhantes a Gnatão, e quer lhe sejam superiores pela posição, fortuna, reputação, a sua complacência fica insuportável, quando a sua inconsistência se duplica com certo prestígio.

95. Contudo, identificar o lisonjeador ou o amigo verdadeiro e distingui-los é tão fácil, com um pouco de aplicação, quanto discernir tudo o que é falso e imitação geral do que é autêntico e verdadeiro. A assembleia do povo, que é, por um lado, constituída de pessoas muito ignorantes, sabe em geral reconhecer o que diferencia o demagogo, isto é, um cidadão complacente e irresponsável, do cidadão responsável, sério e ponderado.

96. A quantas adulações, recentemente, não recorreu Caio Papiro para influenciar a dita assembleia, quando apresentou uma lei sobre a reeleição dos tribunos da plebe! Nós o combatemos; mas não direi nada sobre o meu papel: falarei de mais bom grado de Cipião. Que gravidade, deuses imortais, que grandeza havia no seu discurso: poderíamos facilmente crer que ele era o chefe do povo romano, e não um dos seus cidadãos! Mas vocês estavam lá e aquele discurso está em todas as mãos. Tanto e tão bem que uma lei *proveniente do povo* foi *rejeitada pelo voto do povo*. Para voltar a um exemplo que me diz respeito: vocês se lembram, na época do consulado de Quinto Máximo, irmão de Cipião, e de Lúcio Mancino, a que ponto parecia popular a lei de Caio Licínio Crasso sobre a condição sacerdotal. A nomeação dos membros do colégio era deferida pelo povo. E foi ele quem, primeiro, no fórum, inventou de voltar-se para o povo a fim de consultá-lo. Porém, o seu discurso aliciador não pesou muito frente à religião dos deuses imortais, defendida por mim. A coisa ocorreu quando eu era penhorista, cinco anos antes de eu ser eleito para o consulado: assim a causa em si mesma, muito mais do que uma grande autoridade da defesa, garantiu a feliz resolução desse caso.

26

97. Se nesse palco que é a assembleia, onde ficções e suposições ocupam o maior lugar, o verdadeiro conserva o seu valor, com a condição, certamente, de ser revelado e demonstrado, como devemos agir em relação à amizade, cuja verdade é o único critério, e em que, se consentimos em nos ver e mostrar, como se diz, *de coração aberto*, não há nada de confiável, nada de positivo em amar e em ser amado, quando ignoramos até que ponto isso corresponde à verdade? Essa complacência, entretanto, mesmo perniciosa, não pode prejudicar ninguém, a não ser aquele que a acolhe e dela faz as suas delícias. Disso resulta que aquele que é o mais autocomplacente, que está mais contente consigo mesmo, será também o que mais apurará os ouvidos aos tagarelas complacentes.

98. Claro está que a virtude também ama a si própria; ela se conhece, evidentemente, o mais intimamente possível, e sabe a que ponto merece ser amada. Mas, no que me tange, não é da virtude, no sentido estrito, que falo, porém da concepção que as pessoas têm da virtude. As pessoas que podem honrar-se da dita virtude são menos numerosas do que aquelas que querem passar por tais. São estas últimas que a complacência acalenta agradavelmente; a partir do momento em que lhes é dirigida alguma velhacaria, que vai no sentido do que elas querem, elas se persuadem de que essas balelas são a prova do seu mérito. Portanto, é nulo esse gênero de amizade, em que um não quer ouvir a verdade, ao passo que o outro está pronto para mentir. A complacência dos parasitas das comédias não nos pareceria divertida, se os mata-mouros não existissem:

> Tem-me, Taís, realmente muito
> [reconhecimento?

Bastaria responder: "*Muito....*". "*Enormemente!*", responde o outro:[35] o obsequioso não perde nunca a oportunidade, pouco importa em que área, de supervalorizar os desejos de grandeza da pessoa que ele quer envolver.

99. Por conseguinte, mesmo que essa triste e vã bajulação só tenha crédito junto aos que, eles próprios, com ela se comprazem e a atraem, é preciso prevenir também as pessoas mais refletidas e mais bem colocadas, de que prestem atenção para não se deixarem levar e para não caírem na armadilha de uma hábil complacência. O bajulador que manobra abertamente não pode passar despercebido, exceto um perfeito idiota; porém, para evitar que o adulador hábil, oculto, consiga insinuar-se, é preciso cuidar para ser muito crítico. Pois, detectamos com muito mais facilidade aquele que pratica a complacência pela contradição: para adular, é preciso parecer contestar, em seguida entregar as armas no último minuto com aparência de quem capitula com as costas na parede, para que aquele com o qual ele jogou pareça ter sido mais perspicaz do que ele. Todavia, o que há de mais vergonhoso do que ser tolo? Para que isso não aconteça, é preciso ficar muito vigilante.

> Como vais envolver-me e enganar-me
> [magistralmente
> Hoje, bem antes de todos esses estúpidos
> [velhotes de comédia!...[36]

100. É particularmente estúpida, mesmo nas peças de teatro, a pessoa do velhote imprevidente e crédulo! Mas me pergunto como aconteceu que, a partir da amizade entre homens perfeitos, ou seja, entre sábios – falo dessa sabedoria que parece poder descer até os humanos –, a discussão se tenha voltado para as amizades de baixa condição. Voltemos, portanto, ao nosso debate primeiro, que vamos concluir daqui a pouco.

---

35. Da peça *O Eunuco*.
36. Do dramaturgo Cecílio, em *Incerta* ("Aquela em que não se pode confiar").

27

A virtude, digo bem: a virtude, meus bons Caio Fânio e Quinto Múcio, ao mesmo tempo nos concilia as amizades e as conserva. É nela que reside o acordo geral de todas as coisas, a estabilidade, a constância: quando ela ergue e faz resplender a sua luz, depois percebe e reconhece a mesma luz em outro; aproxima-se deste outro e recebe, como recompensa, uma parte do brilho que dele provém; no cerne dessas interferências, põe-se a cintilar, seja a figura do amor, seja a figura da amizade. Ambos, na verdade, derivam do verbo amar; amar, entretanto, não passa de querer bem ao ser que amamos, sem que se trate de preencher uma falta ou de tirar proveito; o amor brota sozinho, no contexto da amizade, mesmo que não o tenhamos procurado de modo algum.

101. Essa afeição, na juventude, sentimos pelos velhinhos, Lúcio Paulo, Marcos Catão, Caio Galus, Públio Násica, Tibério Graco, o sogro do nosso Cipião. Agora que nos tornamos velhos, encontramos uma forma de quietude na afeição dos jovens, a de vocês, ou a de Quinto Túbero; de fato, encontro um prazer sem mistura na afetuosa assiduidade dos jovens Públio Rútilo, Aulo Virgínio. E já que a vida e a natureza estão articuladas de forma tal que uma geração suceda outra, é antes de tudo desejável jogar igual com aqueles que partiram ao mesmo tempo que nós, e chegar com eles, como se diz, ao fim da corrida.

102. Porém, posto que aquilo que é humano é frágil e perecível, será sempre preciso procurar em torno de nós mesmos pessoas que amaremos e pelas quais seremos amados: privada de afeição e simpatia, a vida fica sem alegria alguma. Para mim, pela minha fé, embora Cipião tenha sido subitamente levado, vive e viverá sempre; amei a virtude desse homem brilhante, e essa virtude não se extinguiu. Não sou o único a ver-lhe o brilho repassar diante dos meus olhos, eu que sempre a tive a meu alcance, como se fosse uma lanterna; ela brilhará e será um farol

para os nossos descendentes. Nunca ninguém conceberá ambições ou esperanças um pouco elevadas, sem pensar que tem de tomar por modelo a memória e a imagem de Cipião.

103. Para dizer tudo, não há nada, em tudo o que recebi da fortuna ou da natureza, que eu possa comparar à amizade dele; nela eu encontrava uma comunidade de concepções políticas, encontrava conselhos para os meus negócios particulares, encontrava um relaxamento cheio de satisfação. Nunca o ofendi, nem mesmo no menor detalhe, tanto quanto eu me dei conta; nunca ouvi dele algo que não quisesse ouvir. Tínhamos uma única e mesma casa, o mesmo estilo de vida, e isso nos aproximava; e ele não tinha só o tempo passado sob as armas, mas também os nossos passeios no campo, que nos uniam.

104. Que dizer também dos nossos esforços para saber sempre mais e para aprender coisas novas, estudos que nos mantinham distantes dos olhos das massas, e ocuparam todas as nossas horas livres? Se a memória dessas imagens, a emoção que lhe permanece apegada, morresse ao mesmo tempo que Cipião, eu seria de todo incapaz de suportar a saudade do homem que foi o mais próximo de mim, e que eu mais amei. Porém, essas imagens não se extinguiram, a minha meditação e memória têm mais tendência a mantê-las e aumentá-las, e mesmo que eu fosse radicalmente despojado delas, a idade em si me traria um forte consolo. Pois, de todo modo, não terei muito tempo mais a passar em meio a essas saudades daqui para a frente; toda dor breve é obrigatoriamente suportável, ainda que viva.

É isso o que eu tinha a dizer sobre a amizade. E já que não há amizade sem virtude, eu os comprometo a cultivar a virtude num lugar que, posta à parte, no seu pensamento, nada seja preferível à amizade.

Da Amizade em Roma

Cícero escreveu o *Lélio* a pedido e em intenção do seu amigo Ático, por volta de outubro de 44 a.C. Quando Cícero ainda estava vivo, o livro foi rebatizado *De amicitia* ("Da Amizade"). O *Lélio* permaneceu célebre, porque a Roma antiga dava particular importância aos laços sociais; todo homem influente estava no topo de uma pirâmide de relações políticas, desde os amigos próximos até os "clientes", simples protegidos e propagandistas nos períodos de eleições. Um escrito que "legislasse" em matéria de amizade, oferecendo critérios morais arrazoados, era, portanto, bem-vindo. Para tanto, era necessário um escritor a um só tempo filósofo e moralista, e um homem com uma carreira política com crédito: Cícero respondia a esse perfil. Político brilhante e trágico, ele tentou salvar a República romana. Escritor, a sua obra é uma das mais consideráveis da literatura latina; uma das obras fundadoras da sociedade ocidental pelo seu apego à democracia republicana, e mais globalmente, pelo esforço de síntese e de adaptação que ele fez dos escritos dos gregos; pois foi por meio do *vocabulário* utilizado por Cícero que a filosofia ganhou o mundo latino e nutriu o seu pensamento. Até então essencialmente pensamento pragmático de camponeses, embora mesclado a uma religiosidade obsessiva de inspiração etrusca, tal pensamento, pelo seu gosto natural pelo rigor e pela crítica, estava de todo predisposto à coerência e à lógica, sobretudo na sociedade culta dos cavaleiros e dos patrícios. O *Lélio* se situa nesse quadro de uma sociedade mediterrânea, em que o espírito fundiário terra a terra, por assim dizer, do camponês romano se casa com o interesse por uma cultura e uma escola de pensamento com preocupações das mais elevadas que a humanidade já produziu (como os Tales, Epicuro, Platão, Aristóteles, e outros nomes inesquecíveis). Para compreender bem a maneira de conceber a amizade que Lélio (Cícero) nos expõe, é preciso saber como funcionam as sociedades da Europa do Sul: uma comunidade masculina de grande coerência, nitidamente separada de uma comunidade feminina igualmente sólida, dialogam por intermédio das *personas sociais* que só são *indivíduos* na "intimidade do grupo". Assim, uma mulher romana tenderá a confiar à sua amiga coisas que o seu marido não saberá jamais; um homem confiará ao seu amigo coisas que a sua mulher não saberá. Para o marido, a esposa é *uxor* (raiz indo-europeia *ox*, ligada à ideia de penetração) ou *mulier* (jumento), e depois do nascimento dos filhos, *matrona*: o amor, a intimidade, não esqueçam nunca, entre sexos diferentes, tem um como representante de uma metade da sociedade enquanto tal, e o outro *antes de tudo* como o que é respeitado e o que deve ser respeitado. Em compensação, dentro da sociedade dos homens, ou das mulheres, a liberdade individual é maior: tem por consequência fenômenos de relações privilegiadas nas fronteiras mal delimitadas – que podem, sem que seja a regra, ir até a homossexualidade, como por vezes uma conotação educativa, como entre os gregos. O fenômeno do "amigo de infância", do "melhor amigo", com uma ternura que nos parece vizinha do amor, aí é muito forte: a herança disso ainda hoje se discerne em todo o contorno do Mediterrâneo; em qualquer idade, notadamente na África do Norte ou no Egito, os amigos passeiam de mãos dadas e os olhos dos turistas se surpreendem, ao verem nisso um equívoco que não corresponde quase nunca à realidade. Essa situação, no tempo de Cícero, vinha de uma maturação afetiva particular: o menino na tenra infância era educado unicamente pela mãe e num contexto feminino, em seguida, no começo da adolescência, passava para o mundo dos *homens*, onde era então confiado pelo pai a um escravo pedagogo que lhe ensinava as "letras" (sobretudo a arte oratória e a história). Enfim, ele ia fazer um estágio com um homem de idade e experiente, estimado pelo seu valor moral, que lhe ensinaria o essencial da vida, isto é, para um rapaz romano de boa família, a arte da política e a arte militar. Poderia até mesmo acontecer de o menino ser adotado legalmente por esse novo pai, como o filho de Paulo Emílio que passará para a família Cipião, se tornará o filho do célebre (primeiro) Cipião, o Africano, isto é, o segundo Cipião, o Africano, de quem Lélio fala sem cessar como do seu melhor amigo. A afetividade de um jovem romano é, portanto, afeiçoada na ternura e na sensibilidade do meio feminino, e é nesse contexto que se formam em geral essas amizades fraternas da infância, cuja força nos choca. (É também o que é responsável pelo "problema da mulher" na sociedade da bacia mediterrânea: toda mulher, em vez de ser parceira, é antes de mais nada um animal sexual – *uxor* –, e depois idealizada quando a sociedade a encerra na sua condição de mãe – *matrona*. O homem – nunca uma ex-criança – a vê, então, como uma gigante afetiva, a cujo tamanho ele se dedica dar uma dimensão social normal, por meio da estruturação de um poder masculino.) No universo dos homens, a aprendizagem será a de uma moral dura, em geral estoica, em relação com a vida pública e com a guerra: a carreira que se abre é a de magistrado/chefe militar; repousa no conhecimento, racional, objetivo, mas também estratégico, das leis da *res publica* ("da coisa pública"), que os romanos distinguem nitidamente das regras da *vida privada* – que repousam nos prolongamentos da sensibilidade, *muito sentimental*, da educação infantil. A amizade, para um latino, coloca, portanto, um problema: pertence aos dois domínios, *domi militiaeque* ("a casa e a guerra"). Assim, em Cícero, a visão da amizade traz sempre em filigrana a preocupação de articular de modo equilibrado e sábio a *afeição* e a *utilidade*: uma provém da vida privada, a outra da esfera pública. A principal preocupação de *Lélio* será fazer com que compreendam quais são os critérios desse equilíbrio moral que deve conciliar a gratuidade do sentimento pelo amigo com a coalizão dos interesses. Trata-se de conciliar *tendência ao idealismo filosófico* – o que poderíamos resumir, citando o "porque era ele, porque era eu" de Montaigne – e *realismo camponês* – "é preciso realmente que isso, a amizade, sirva para algo" – a que se apega, em Roma, o clientelismo político. Por meio das teses de Lélio, o que se constrói é uma forma de visão da amizade em que, para que esta seja honrosa, o realismo deve ser uma emanação natural do idealismo, um ajuste do sentimento; como a consciência da criança romana, ao maturar-se, vê em si o acesso às realidades dos negócios públicos seguir a infância, emanar da esfera privada, ampliá-la; mas essa ampliação não ocorre por acaso; ao contrário, é controlada por regras morais estritas. Pois o que diferencia essencialmente essas duas faces do universo latino é que com a maturidade intervém a *vontade*, e o *autocontrole*. À criança do universo feminino (universo das forças naturais, portanto, da irresponsabilidade), considerada "animal puramente sentimental" e a quem absolutamente tudo é perdoado em nome da afeição, vem sobrepor-se o rapaz refletido, que adota as leis morais, o que hoje chamaríamos de "superego", da sociedade masculina em que ele entrou. São essas leis que vão estruturar o eu afetivo, afeiçoar o seu julgamento, personalidade: essa maturação em dois tempos explica por que no universo masculino de Roma semelhante importância era dada à *virtus*, que é a um só tempo força, obstinação, coragem, equidade, e virtude no sentido atual. Quando a personalidade afetiva teve tempo – uma dezena de anos – para se desenvolver quase sem obrigações, é preciso, em contraposição, adquirir grande poder de autocoerção, caso não se queira ser simplesmente um adulto veleidoso, cheio de pulsões passionais irracionais, incapaz, como a criança outrora habituada a ver satisfeito o seu capricho de resistir aos desejos e às vontades de prazer, *voluptas*: palavra que encontramos com frequência estigmatizada por Cícero. A amizade romana, quando é "entre homens de bem", entre "sábios", é portanto formada à imagem da personalidade de um latino: o motor que a nutre é poderosamente afetivo, com uma forma de sensualidade natural, porém o impulso que esse motor comunica ao indivíduo, no homem – *vir* – realizado, é canalizado e reprimido permanentemente, a fim de que vá *aonde um homem decidiu ir*; e, por conseguinte, o *piloto* da amizade deverá ser o espírito consciente, a *ratio* ("razão"): uma motivação que se inscreve no processo repressivo e voluntário em relação à motivação original, o *capricho* (a paixão pela volúpia). *Ratio* cujo fim deve, diz-nos Cícero, ser "o soberano bem". O estoicismo, é preciso dizer, é a autodefesa espontânea dos indivíduos sem poder sobre a natureza, cuja mentalidade se formou na agricultura, ofício em que, mesmo hoje, podemos ver um temporal aniquilar uma colheita em alguns minutos. Em Roma, o austero estoicismo e o seu nobre desinteresse eram; Catão foi um exemplo disso, considerados virtudes cardeais. Se nem todos eram Catão, o autodomínio continua sendo, certamente, a base (ideal) das relações amigáveis entre Lélio e Cipião, como o será dois séculos depois entre Cícero e Ático. Isso explica por que Cícero combate tão obstinadamente o fato de que a amizade possa nascer do utilitarismo, e sustenta a tese da "luz" atraente da virtude: o utilitarismo na amizade era natural na Roma arcaica em que se justificava facilmente a noção de amizade pela necessidade de alianças privilegiadas, e se tornava uma opção moral sustentada pelos partidários da filosofia epicurista vulgarizada (Ático era epicurista!). Se hoje as teses de Cícero não deixam de dar ideias sobre as quais refletir, talvez seja justamente porque em nossa sociedade se colocam os mesmos problemas que aqueles que se colocavam no tempo de Cícero: é de fato a imoralização (no sentido moderno: a prioridade dada à utilidade) dos laços de amizade, a renúncia aos antigos ideais estoicos – em face de *Para Catão,* de Cícero, César escreveu o *Anti-Catão* – que levará à queda da República: quando todos são inimigos de todos e traem todos. Quando disso se origina a guerra civil, a cama do fascismo está feita. Entre essas alianças versáteis entre inimigos sobre as costas de antigos amigos, houve a de Otávio (que Cícero protegera e sustentara) com Antônio, à qual Otávio sacrificou Cícero sem piscar. Porém, tampouco Antônio sobreviveu. Essa imoralização sempre crescente, que Otávio tornado Augusto (o imperador bem-pensante) tentou, por um tempo, jugular, decretando um retorno aos costumes antigos – mas como seria ele realmente seguido, após a imoralidade na política e nas amizades da primeira metade da sua vida? – foi o próprio fundamento do Império. Calígula ou Nero são casos típicos disso; são, de certa forma, a apoteose da criança romana que se tornou, sem passar pelo *autocontrole,* chefe da sociedade, ligando-se passionalmente e para além de qualquer moral a amigos que não são "homens de bem", mas políticos sem fé nem lei, até mesmo antigos escravos libertos, sob a influência nefasta dos quais eles tomaram as piores decisões, e reinaram por capricho. (Essa sociedade em decomposição só se reergueu regulada por uma nova moral oriunda de uma nova religião: a moral do cristianismo.) Desse universo ao nosso, a distância não é tão grande. De modo que consiste em não mais educar moralmente a juventude, em deixá-la pensar que a "vida verdadeira" não implica o esforço, fazendo dessa juventude e da mulher (como animal erótico-sexual) a principal alavanca econômica e mítica da nossa sociedade, a política que concebe sob o nome de "democracia" que o "povo" teria todos os direitos e nenhum dever, em nome de uma "felicidade" que é só o prazer do *indivíduo* e não o melhor-estar do conjunto dos *cidadãos*, a corrupção generalizada que segue naturalmente a obsessão pela riqueza e a indiferença pela verdade, eis o que, de certa forma, faz com que a civilização ocidental se assemelhe ao modelo romano de "decadência à moda mediterrânea". As sábias proposições de Lélio sobre a amizade devem, portanto, ser tomadas como uma espécie de diagnóstico e de alerta que continuam, a dois mil anos de distância, atuais.

Xavier Bordes

Vida de Cícero

Marco Túlio Cícero nasceu em Arpinum, em 106 a.C., e morreu em Formies em 44, assassinado pelos soldados de Antônio. Advogado, orador, escritor filósofo e divulgador da filosofia, autor de correspondências célebres com amigos, tais como Ático (16 livros), os familiares (16 livros), o irmão Quinto (três livros) que era também cunhado de Ático, ele foi admirado em todos os tempos, e há bustos dele cuja autenticidade é certa. Por isso, poucos manuscritos seus foram perdidos. Restam-nos todos os seus célebres tratados de retórica (sete); 12 tratados, de 16 ou 17, acerca da política e da moral; 51 discursos e discursos de defesa entre 55; todas as suas cartas, e até mesmos alguns apócrifos; só a sua poesia, medíocre, nos chegou fragmentada.

A família dele pertencia à ordem equestre os Cavaleiros, mas ninguém até então se tinha distinguido na família por uma magistratura importante. Apesar da admiração e do prestígio que lhe rendia o seu gênio literário, Cícero se iludia pensando que estava à altura de resistir ao gênio manipulador e político de César, que aliás não o temia no plano literário e oratório; de fazer frente a um Pompeu, menos inteligente, porém líder da velha aristocracia senatorial e de família conhecida; ou ainda a Crasso, apelidado de o Rico, e que em Roma representava o poder do dinheiro.

Em outros tempos, ele teria feito uma carreira menos agitada, porém, como republicano, caiu justamente no momento em que, por diversas razões juntas – extensão territorial que exigia coesão e decisões rápidas, disparidades demasiado acentuadas entre as classes sociais, queda da moralidade e desaparecimento dos antigos ideais na classe política –, a república romana estava à beira da explosão, sob a pressão das massas populares. Tudo isso escapava um pouco a Cícero que, como todos os "novos" que atingem certo nível social, se dava boas razões para ser a um só tempo conservador e liberal.

Advogado, temido a partir de 80, Cícero parte (em 79) por seis meses para Atenas com o amigo Ático, e essa estada será decisiva, já que estuda com o amigo a filosofia. Depois da morte de Syla, ele continua a sua descoberta do mundo grego até 77 por uma viagem a Rhodes, na Ásia Menor, onde vai escutar os grandes retores e filósofos, e onde ele suscita a admiração dos gregos pela sua eloquência.

De volta, ganha o processo de Róscio, um ator conhecido. Torna-se tão popular que é eleito questor (espécie de inspetor do governo), em 75 em Lilibeia, na Sicília. Lá ele constata o rigor do protetor Verrino contra os sicilianos, escreve um relatório na forma de vários discursos, os sete *Verrinos*, mas só terá tempo de pronunciar em Roma, em 70, os dois primeiros: assustado com essa queixa, uma obra-prima da eloquência judiciária em que os seus crimes são pintados com vigor saliente, Verrino foge e se autoexila sem esperar o julgamento.

Entrementes, em 72, Cícero se torna edil, em seguida pretor, em 66. É então que lhe falta um pouco dessa clarividência na amizade que ele reclama pela boca de Lélio: procura, como todos os "novos", ser reconhecido e legitimado pela familiaridade amigável dos "antigos", como Pompeu ou Catilina, perigoso agitador, rival seu para o consulado, que se tornará seu inimigo assim que Cícero for, em 63, eleito cônsul por aclamações, na pressa de um senado aterrorizado pela ideia de que um crápula como Catilina tomasse o poder. Logo Cícero, com espírito de decisão notável, pronuncia as *Catilinárias*, em que denuncia as ações da personagem, a obriga a fugir e manda executar os seus cúmplices. Isso lhe vale o título de "Pai da Pátria". Ele está, então, no auge da sua vida.

As suas relações com Pompeu, César e Crasso se degradam e o tribuno Clódio, seu inimigo jurado, faz aprovar uma lei que obriga Cícero a exilar-se na Tessalônia de 58 a 57, quando ele volta triunfalmente para Roma; escreve, então, muito, é recebido no colégio dos áugures em 53, advoga em defesa em vários processos famosos. Em 51, é nomeado governador em Cilícia; excelente administrador, obtém o título de "imperator", na sequência de uma expedição punitiva contra os Parthos em 50.

Crasso, porém, é morto por ocasião de uma nova expedição contra esses terríveis inimigos, o que provoca logo a guerra civil entre os partidários de César e os partidários de Pompeu. Que fazer? Pompeu era até então um aliado, mas tão perigoso para a República quanto César e muito menos inteligente... Não resolvido, Cícero se distancia em Épira (Grécia). Depois que César esmaga Pompeu em Farsala, ele retorna à Itália, em 48. César, que estima Cícero (entre homens de letras...), sinaliza que ele pode ficar sem preocupações e lhe faz propostas; porém Cícero não retoma o cargo oficial, vive nas suas propriedades e se consagra ao estudo. Divorcia-se e volta a se casar, perde a filha Túlia que adorava.

Poderia ter acabado a vida em paz, mas em 44 César é assassinado. Antônio pretende sucedê-lo. Cícero faz o jogo do sobrinho de César, Otávio, e pronuncia contra Antônio as famosas *Filípicas*, o que ocasionará a sua perda. Infelizmente, quando se forma o triunvirato Otávio, Antônio, Lépido, Antônio exige a morte de Cícero, e Otávio a deixa acontecer, pensando talvez que Cícero tivesse tempo suficiente para fugir. Estando os ventos contrários, Cícero não consegue sair da costa italiana. Retira-se para sua casa de campo de Formies para esperar os soldados de Antônio, a fim de assassiná-lo.

Morre com dignidade, mas Antônio, sempre vingativo, mandará expor a sua cabeça em Roma, na tribuna das Arengas.

Assim, injustamente, terminava uma vida política e literária das mais fecundas, e morria um orador que o mundo não esqueceria jamais, e cujas obras iriam ser estudadas sem cessar por mais de vinte séculos...

Referências Bibliográficas

Obras de Cícero

* *De la Divination*. S.l.p.: Belles Lettres, 1992. ("Collection La Roue à Livres").
* *De la République, Des Lois*. S.l.p.: Flammarion, 1988.
* *Devant la mort*. S.l.p.: Arléa, 1991. ("Collection Retour aux Grands Textes").
* *Devant la souffrance*. S.l.p.: Arléa, 1991. ("Collection Retour aux Grands Textes").
* *La République, Le Destin*. S.l.p.: Gallimard, 1994. ("Collection Tel").
* *Le Bonheur*. S.l.p.: Arléa, 1992. ("Collection Retour aux Grands Textes").
* *Les Catilinaires, Orationes in Catilinam*. S.l.p.: LGF, 1992.
* *Plaisir et Vérité: De finibus, livres I et II, du souverain bien et du mal suprême*. S.l.p.: Arléa, 1993. ("Collection Retour aux Grands Textes").
* *Savoir vieilllir*. S.l.p.: Arléa, 1990. ("Collection Retour aux Grands Textes").
* *Traité du destin*. S.l.p.: Belles Lettres, 1991. ("Collection Universités de France").

Estudos sobre Cícero

* ACHARD, G. *Pratique Rhétorique et idéologie politique dans les discours optimates de Cicéron*. S.l.p.: E.J. Brill, 1981.
* BOES, J. *La Philosophie e l´action dans la correspondance de Cicéron*. Nancy: Presses Universitaires de Nancy, 1990.

* DENIAUX, É. *Clientèles et pouvoir à l'époque de Cicéron*. Roma: École Française de Rome, 1993.
* GRIMAL, P. Cicéron. S.l.p.: PUF, 1993. ("Collection Que sais-je?").
* ____. *Cicéron*. S.l.p.: Fayard, 1993.
* MULLER, P. *Cicéron*: un philosophe pour notre temps. S.l.p.: L'Âge d'homme, 1990. ("Collection Essais").
* TESTARD, M. *Saint Augustin et Cicéron*: Cicéron dans la formation et dans l'oeuvre de Saint Augustin. S.l.p.: Études Augustiniennes, 1958. 2 v.

Plutarco

Amigos e Inimigos:
Como Identificá-los

Amigos e Inimigos: Como Identificá-los

À administração política, fonte fecunda de inimizades e ódios.

1. Eu vejo, Cornelius Pulcher,[37] que escolhestes, para governar o Estado, a maneira mais doce: ao te empenhares em servir à comunidade, mostras uma grande benevolência em relação àqueles que, em particular, te endereçam solicitações.[38] Certamente pode-se encontrar uma região onde não haja animais selvagens, como se diz, por exemplo, a respeito de Creta,[39] mas jamais se viu uma administração política que não tenha exposto aqueles que a exercem ao ciúme de seus rivais, à inveja e à concorrência, todas estas paixões fecundas em inimizades (aliás, na falta de outras causas, as amizades nos conduzem às inimizades. Esta era a opinião do sábio Quílon[40] quando perguntava a um homem que se gabava de não ter inimigo se ele também não tinha mais amigos). As meditações de um homem de Estado devem conduzir, é o que me parece, à questão dos inimigos vista em todas as suas facetas; e deve-se emprestar um interesse vivo a esta frase de Xenofonte:[41] que "é próprio

---

37. Cnaeus Cornelius Pulcher foi procurador de Acaia no fim da vida de Plutarco.
38. Plutarco é também autor de reflexões sobre a moderação pública na sua obra *Praecepta gerendae reipublicae*.
39. Em relação a esta observação, os eruditos verificam que Plínio *(História Natural)* já havia feito o mesmo registro. Os comentadores especializados em Plutarco assinalam que em sua obra há várias observações sobre a vida animal.
40. Quílon, um dos Sete Sábios da Grécia, viveu em Esparta em VI a.C.
41. Frase usada por Xenofonte tanto em *Ciropédia* quanto em sua obra *Econômico*, dedicada a assuntos domésticos.

de um homem sábio tirar proveito de seus inimigos". Em consequência, os comentários que fiz recentemente sobre esta matéria, eu acabei por coligi-los aproximadamente nos mesmos termos, e quero enviá-los para ti. Tanto quanto foi possível, eu me abstive de inserir o que já havia escrito nos meus *Preceitos Políticos*,[42] pois sei que tens constantemente este tratado em mãos.

Já que é impossível não ter inimigo, é preciso saber tirar proveito disto.

2. Os primeiros homens se limitavam a não cair entre as garras dos seres selvagens de espécies diferentes da sua, e essa era a finalidade dos combates que tinham com os animais. Depois seus descendentes aprenderam a fazer uso disso; aliás, não é este o proveito que tiram quando se servem da carne deles para se alimentar, de suas peles para se vestir, de seu fel e de seu leite para se tratar, de seu couro para se armar? Em consequência, se os animais selvagens vierem algum dia a fazer falta à raça humana, poderíamos temer que sua vida pudesse se tornar selvagem, indigente e bárbara.[43] Sendo assim, já que os homens comuns se limitam a prevenir a má vontade de seus inimigos, e que os sábios, no dizer de Xenofonte, tiram proveito de seus adversários, não ponhamos sua palavra em dúvida, mas procuremos ao invés um método, uma arte, graças às quais os seres incapazes de viver sem inimigos possam tirar alguma vantagem de tal situação.

O lavrador não pode tornar fértil qualquer árvore, nem o caçador domar o primeiro animal que apareça; por isto foram obrigados a procurar outros meios para se prevenir, o primeiro da esterilidade vegetal, o segundo da selvageria animal. A água do mar não é potável e tem um gosto ruim; mas ela sustenta os peixes, favorece os trajetos em todos os sentidos, é uma via de acesso e um veículo para aqueles que dela se

---

42. Refere-se a um dos tratados pertencentes às *Moralia*. Para certos estudiosos, Plutarco deseja aqui chamar a atenção sobre esta obra, na esperança de vê-la exercer maior influência.
43. Mais uma vez, os estudiosos de Plutarco remetem a outra obra sua que faz parte das *Obras Morais: Se sollertia animalium.*

valem.[44] Quando o sátiro contemplou pela primeira vez o fogo, quis beijá-lo e abraçá-lo; então, Prometeu lhe disse:

"Da barba do bode chorarás a perda".[45]

O fogo queima quando nós o tocamos; mas dá luz e calor, possui uma infinidade de utilidades, para aqueles que sabem manejá-lo. Convém que consideres teu inimigo do mesmo modo: essa criatura, aliás malévola e irredutível, será que lhe não pode ser útil por este ou por aquele ângulo? Não poderá servir a algum uso particular? Não pode ser aproveitada? Uma série de acontecimentos nos são igualmente penosos, detestáveis, hostis, quando os encontramos em nosso caminho. No entanto, bem sabes que certos homens converteram sua doença em uma doce inação física. Muitos outros se fortaleceram e endureceram, sob o império das provações que tiveram de suportar, enquanto a perda de sua pátria e a privação de seus bens conduziram alguns raros eleitos a um lazer estudioso e à filosofia. Este foi o caminho de Diógenes,[46] de Crates.[47] Zenon,[48] por sua vez, ao saber que o navio fretado por ele naufragara, exclamou: "Fazes bem, fortuna, ao conduzir-me para o lado dos filósofos!" O mesmo vale para esses animais cujo estômago é dos mais coriáceos e cuja saúde das melhores: eles não engolem e digerem as serpentes e os escorpiões? Aliás, outras espécies se nutrem de pedras e conchas, assimilando-as em razão de seu poder e do calor de seu sopro vital. Por outro lado, tipos franzinos e doentios mal conseguem suportar um pouco de pão ou de vinho sem que sintam vontade de vomitar. Se enumero tudo isto é para dizer que

---

44. Uma das características da obra de Plutarco refere-se aos símiles de natureza física empregados por ele quando discorre sobre a amizade e a inimizade. Eis alguns exemplos: a amizade pode se deteriorar como as armas e os utensílios; os amigos dos ricos parecem moscas vadias vasculhando a cozinha; quando multiplicamos em excesso nossos amigos, somos iguais às mulheres depravadas que não podem permanecer fiéis a seus primeiros amores porque se entregam incessantemente a outras aventuras.
45. Transcrição de *Prometeu acorrentado*, de Ésquilo.
46. Era chamado o Cínico.
47. Discípulo de Diógenes. Nascido de uma família rica, renunciou à sua fortuna e juntou-se a Diógenes. Plutarco refere-se a ele como modelo de renúncia aos bens do mundo.
48. Zenon de Cítion, o fundador do estoicismo, discípulo de Diógenes e de Crates. Este mesmo episódio é narrado por Diógenes Laércio; é preciso acrescentar que a nau trazia toda a fortuna de Zenon. As biografias de Diógenes, Crates e Zenon, assim como comentários sobre seus pensamentos, podem ser encontrados na obra de Diógenes Laércio, *Vidas e doutrinas dos filósofos ilustres*, Editora Universidade de Brasília, 1987, tradução de Mário Gama Kury.

os imbecis lidam mal com suas amizades enquanto os homens sensatos sabem tirar proveito até de suas inimizades.

Já que nosso inimigo observa com curiosidade nossas ações, é necessário vigiarmos a nós mesmos, e esta vigilância redunda insensivelmente em hábito de virtude. A emulação é uma contenção moral.

3. Em primeiro lugar, parece-me que aquilo que é mais prejudicial na inimizade pode tornar-se o mais proveitoso, se quisermos dar-lhe atenção. É que teu inimigo vigia continuamente para espiar todas as tuas ações: à espreita da menor falha, não só enxergando "por meio do carvalho" como fazia Linceus,[49] nem só espiando "pelas pedras e das telhas", mas também se insinuando por intermédio de teu amigo, teu criado, e de todos aqueles com que tens familiaridade, fazendo tudo para adivinhar na medida do possível o que irás fazer e para esvaziar ou sondar tuas resoluções. Pois acontece frequentemente que nossos amigos fiquem doentes, agonizem, sem que saibamos de nada, dando assim em relação a eles uma prova de nosso afastamento e negligência. Mas quando se trata de nossos inimigos, é o contrário, nós só faltamos ir à procura de seus sonhos. Doenças, dívidas ou brigas conjugais escapam mais facilmente à memória de seus servidores imediatos do que as de seus adversários. Mas é sobretudo aos erros que este último se liga, ele os persegue; e assim como os abutres são atraídos pelo odor das carniças pútridas, mas não sentem o odor dos corpos são e válidos, também as partes de nossa vida que são malsãs, ruins, viciadas, atraem nosso inimigo; de fato, aqueles que demonstram aversão para conosco acabam se apossando delas, tomando-as de assalto e despedaçando-as. Será então algo de que se possa extrair utilidade? Sim, sem dúvida alguma. Pois isto nos obriga a viver com o máximo de atenção, a observar-nos, a não fazermos nada de forma confusa e leviana, mas a manter continuamente nossa vida ao abrigo de uma crítica eventual, como se se tratasse de seguir um regime draconiano. Pois esta maneira reservada, que reprime as paixões da alma e mantém sob controle as lacunas do raciocínio, inspira a preocupação e a vontade

---

49. Linceus, filha de Afareus e de um argonauta, pertence à raça do Perseidas. Conhecida por sua visão penetrante: via através da madeira do carvalho. Durante um combate contra Castor e Pólux, ela e seu irmão Idas morreram, assim como Castor.

de viver de maneira virtuosa e irrepreensível.⁵⁰ Com efeito, as cidades, que são assaltadas pelas guerras de fronteira e contínuas expedições militares, acabam por amar as boas leis e uma política sadia: da mesma maneira, os homens, constrangidos por certas inimizades a levar uma vida sóbria, a resistir à facilidade e à suficiência, a emprestar um fim útil a cada uma de suas ações, são conduzidos por sua vez a um caminho da infalibilidade, e seus costumes adquirem uma regularidade edificante por menos que a razão intervenha. O pensamento:

"Que prazer para Príamo e para os filhos de Príamo!"⁵¹

quando conseguimos tê-lo sempre em mente, desvia, remove, afasta tudo aquilo de que os inimigos possam se regozijar e dar ocasião para que riam. Considera os artistas que figuram nos Dionisios;⁵² nós os vemos sempre, relaxados e indolentes, em atitudes despidas de rigor, quando no teatro estão sozinhos consigo mesmos; mas todas as vezes que há concurso e rivalidade com outros grupos, eles redobram sua atenção não só na interpretação de seus papéis, mas também no uso dos instrumentos de música; eles procuram se integrar num uníssono, preocupam-se mais minuciosamente com a harmonia do concerto, com o acompanhamento das flautas. Em consequência, aquele que sabe que seu inimigo é um concorrente tanto no plano da conduta quanto no da reputação procura tomar mais cuidado consigo mesmo, observa o efeito de seus atos com circunspecção e regra melhor seu comportamento. Pois também é uma característica do vício fazer que tenhamos mais vergonha dos inimigos que dos amigos, quando agimos mal. Daí esta frase de Nasica,⁵³ quando depois da destruição de Cartago e da sujeição da Grécia, as pessoas afirmavam que o poder romano estava livre do perigo: "Pois bem, é exatamente agora", disse ele, "que o

---

50. Para Plutarco, o controle sobre as paixões e a virtude constitui a boa saúde da alma. O amigo deve estimular sempre o que há de melhor num homem, assim como um médico deve esforçar-se para que ele conserve a saúde. É o que se pode ler, como apontam os estudiosos, no tratado *De adulatore et amico* (*Sobre o adulador e o amigo*).
51. Refere-se a um verso da *Ilíada*.
52. Trata-se do teatro de Dionisios, situado em Atenas no mesmo local onde ficava o santuário de Dionisios, na encosta da Acrópole. O teatro era usado não só para as representações dramáticas como também para, as mais diversas cerimônias.
53. Refere-se a Cipião Nasica, cônsul em 138 a.C., procedente de uma ilustre família da nobreza romana. Nasica liderou o grupo de senadores aristocratas que atacou e matou Tibério Graco, como resultado da tentativa de este último limitar a ocupação das terras públicas.

perigo existe para nós, porque estamos entregues a nós mesmos sem mais rivais que possam nos inspirar temor ou vergonha".

A inveja dos nossos inimigos é um contrapeso à nossa negligência. Além do mais, nós nos vingamos mais eficazmente de um inimigo afligindo-o com nosso próprio aperfeiçoamento moral.

4. Acrescenta ainda a isto a resposta de Diógenes, tão digna de um filósofo quanto de um homem de Estado: "Como irei me defender contra meu inimigo? – Tornando-me virtuoso". Quando ouvem elogios aos cavalos e aos cães de seus inimigos, as pessoas se lamentam. Ao ver suas terras bem cultivadas e seu jardim florido, experimentam uma enorme tristeza. Mas o que significaria isto para ti, se dás demonstração de equidade, bom senso, cumprimento dos deveres, probidade em teus discursos, integridade em teus atos, decência em tua conduta,

> "Lavrando em teu coração os grandes sulcos,
> Teatro do crescimento para teus desígnios nobres."[54]

"Vencidos, os homens estão aprisionados em sua mudez", diz o verso de Píndaro; esta observação não pode ser vista nem como absoluta nem como válida para todos, mas ela diz respeito aos que se veem vencidos por seus inimigos em vigilância, em civismo, em benfeitoria e em humanidade. Eis aqui o que "paralisa a língua, como diz Demóstenes, fecha a boca, sufoca, emudece".

> "Sê diferente do malvado, é coisa que só depende de ti."[55]

Queres mortificar aquele que te odeia? Não o chames de invertido, de efeminado, de dissoluto, de bufão ou de avarento; mas comporte-se de fato como um homem, sê moderado, diz a verdade, age humanamente e com senso de justiça em relação àqueles que tu encontras. Mas se acreditas que és obrigado a chegar às injúrias, afasta-te o mais longe possível das desordens que imputas a ele. Sonda as profundidades de tua alma,

---

54. Citação de *Sete contra Tebas*, de Ésquilo.
55. Citação de *Orestes*, de Eurípides.

examina-lhe as falhas, para que não te exponhas a ouvir dizer em cochicho, a respeito de algum vício escondido não se sabe onde em ti mesmo, este verso do poeta trágico:

"Queres curar o outro quando estás cheio de úlceras!"[56]

Tu o chamas de ignorante? Redobra em ti o zelo pelo trabalho e o gosto pelas ciências. De covarde? Reanima tua audácia e tua bravura. De lascivo e dissoluto? Apaga de tua alma toda marca de inclinação à volúpia que ela possa ter conservado secretamente. Pois não haveria nada de mais vergonhoso nem de mais mortificante que ver cair sobre ti a censura que tu poderias fazer ao outro; pois os olhos debilitados parecem ser feridos mais vivamente pela reverberação da luz, assim como os acusadores pelas acusações que a verdade volta contra eles. Assim como o vento norte congrega as nuvens, um comportamento errado atrai para si as justas reprimendas.

Não imputemos jamais ao outro as irregularidades que nos atingem.

5. Todas as vezes que Platão se encontrava em meio a homens de costumes dissolutos, ele tinha o hábito, ao deixá-los, de dizer a si mesmo: "Não serei eu próprio, por acaso, um de seus semelhantes?"[57] Se, depois de ter acerbamente reprovado a conduta de um outro, examinamos em seguida a nossa e a reformamos dando-lhe uma inclinação e uma direção contrárias, tiraremos frutos de nossas injúrias. De outro modo elas parecem ser inúteis e vãs, e é o que com efeito acabam por tornar-se. Em geral, a multidão ri, sem qualquer hesitação, ao ver um calvo ou um corcunda difamar ou zombar das deformidades de um outro, pois é supremamente ridículo fazer a outro uma reprovação que se pode voltar contra nós mesmos. Assim

---

56. Outra citação da obra de Eurípides.
57. Esta citação de Platão não é identificada pelos pesquisadores do texto de Plutarco. Acrescentam no entanto que esta observação está bem próxima das preocupações dos estoicos. A este propósito, vale fazer aqui esta citação de Sêneca em *De Ira (Sobre a Ira)*: "Os vícios do outro estão diante de nossos olhos, os nossos atrás de nossas costas... Uma grande parte dos homens irrita-se não contra o delito, mas contra os autores do delito. Tornaríamo-nos mais moderados se considerássemos a nós próprios, se sondássemos nossa consciência. Será que nós também não cometemos algo semelhante? Não caímos nos mesmos erros? Podemos condenar essas práticas?"

Leon de Bizâncio, escarnecido por um corcunda a propósito de sua vista defeituosa, respondeu-lhe: "Tu me imputas uma desgraça bem humana, quando carregas em tuas costas as marcas da vingança celeste". Portanto, não questiones um homem adúltero se tu és pedômano inveterado, nem um homem que faz um uso pródigo de seus bens, se tu és um avaro.

"De uma mulher homicida tu és o irmão de sangue",[58] dizia Alcmeon a Adrasto. O que ele responde? Ele o reprova não pelo crime de um outro, mas por um que ele próprio havia cometido:

"Por tua mão pereceu a mãe que te fez nascer".[59]

Domício diz para Crasso: "Quanto a ti, não é verdade que ao morrer uma lampreia que alimentavas num viveiro, tu chorastes?" Enquanto o outro lhe respondeu: "Mas não é verdade que tu, quando da ocasião do enterro respectivo de tuas três mulheres, não derramastes sequer uma lágrima?" Tu acreditas que para ter o direito de censurar basta ser um homem de espírito, ter eloquência e o tom cortante: mas não, é preciso que nós mesmos estejamos ao abrigo de toda acusação e de toda reprovação. Pois a nenhum outro, ao que parece, o deus recomenda tanto a prática do "conhece a ti mesmo" do que ao homem que se prepara para atacar um outro, por temor de que ao dizer tudo aquilo que lhe apetece, ele se exponha a ouvir coisas que lhe desagradem. Com efeito, segundo Sófocles, "acontece comumente" que tais personagens

"Não dominando sua vã tagarelice
Ouçam recair sobre si mesmos a linguagem
Que haviam endereçado com prazer a um outro".[60]

Maneiras pelas quais é preciso receber as reprovações do outro.

---

58. Transcrição de um verso da tragédia *Alcmeon* de Eurípides, da qual só se conservam fragmentos. Das 82 peças atribuídas a Eurípides, só restam 18 tragédias e um drama satírico.
59. Citação da mesma tragédia de Eurípides, que não chegou até nós. Alcmeon, na mitologia grega, matou sua própria mãe, Erifile, seguindo ordens dadas por seu pai. Por esse crime, passou a ser perseguido pelas Fúrias.
60. Citação de uma peça de Sófocles que foi perdida.

6. Eis aqui o que há de útil e proveitoso nas admoestações que se faz ao inimigo; mas a coisa não se torna menos verdadeira em sentido contrário: quando se é vítima das injúrias e das críticas dos inimigos. Por este motivo, Antístenes[61] dizia com justiça que, para nos preservarmos, temos a necessidade de amigos sinceros e inimigos ardorosos: os primeiros nos afastam do mal por seus conselhos, os segundos por sua censura.[62] Mas já que hoje a amizade só eleva fracamente a sua voz quando se trata de falar com franqueza, e que, verbosa na sua adulação, ela é silenciosa quanto aos conselhos, é da boca de nossos inimigos que temos que ouvir a verdade. Pois, assim como Télefo,[63] por não ter tido cuidado pelos seus, entregou seu ferimento ao ferro do inimigo, também aqueles que não podem usufruir de conselhos amigos devem necessariamente escutar com paciência as reprimendas de um inimigo, quando este denuncia e critica seus vícios, e reparar menos na má intenção que o guia do que no serviço real que ele presta. Um homem queria matar Prometeu, o Téssalo. Ele o atingiu com sua espada e perfurou uma inflamação de sua pele, e deste modo salvou sua vida, desembaraçando-o deste abscesso. Tal é com frequência o efeito de uma maledicência ditada pela cólera ou pela inimizade; ela cura nossa alma de uma doença insuspeita que tínhamos negligenciado. Mas a maioria das pessoas, quando sofre uma repreensão, não procura saber se tais repreensões são fundadas, mas lançam-se a recriminações e tacham seu agressor com um outro vício. Nisto imitam as manobras dos lutadores às voltas com a poeira: em vez de se desembaraçar pessoalmente das nódoas estigmatizadas por seus inimigos, eles se mancham mutuamente, de modo que na rixa a que se entregam, ficam todos igualmente emporcalhados e imundos. Não seria mais razoável, nestas ocasiões, corrigir o vício que foi apontado, com mais cuidado do que limparíamos uma mancha

---

61. Antístenes, discípulo de Sócrates, pertence à chamada Escola Clínica.
62. Pesquisadores apontam que em outros textos de Plutarco (*De adulatore, De profecitibus in virtute*), esta observação é atribuída a Diógenes e não a Antístenes.
63. Télefo combateu os gregos que haviam desembarcado na Mísia a caminho de Troia. Aquiles feriu-o com a lança na perna: a ferida não se curava e Apolo avisou a Télefo que "o que o tinha ferido o curaria". Então, disfarçou-se e procurou os gregos, dizendo que ensinaria a rota para Troia, se Aquiles o curasse, de acordo com a predição do oráculo. Aquiles curou-o com a limalha que se encontrava em sua lança.

em nossa roupa que nos mostrassem? Se nos imputam falhas que não temos, devemos procurar a causa desta calúnia, e nos aplicar com vigilância e cuidado para não cometermos por nossa própria conta uma falha semelhante ou análoga à que nos reprovam. Assim, Lacides, o rei de Argos, por causa de sua cabeleira excessivamente cuidada e de seu modo delicado de andar, foi acusado de fraqueza; o mesmo aconteceu com Pompeu,[64] que tinha o hábito de coçar a cabeça com um dedo; no entanto ele nem de longe dava demonstração de efeminamento ou de licença desenfreada. Crasso[65] foi acusado de manter uma ligação com uma das virgens sagradas porque, desejando comprar para ela uma bela propriedade, cortejava-a assiduamente, sem testemunhas, e cumulava-a de favores. Postumia, sempre risonha e excessivamente ousada ao falar com os homens, foi difamada ao ponto de ser acusada de despudor. É verdade que foi inocentada; mas, na sentença de absolvição, o grande dignatário Spurius Minúcio lhe fez ver que ela não devia ser menos reservada em seus discursos do que em seu comportamento. Quanto a Temístocles, que foi julgado inocente, sabe-se que foi suspeito de traição por causa de sua amizade com Pausânias e das cartas frequentes que lhe enviava.[66]

Não devemos desprezar as reprovações, ainda que não tenham fundamento.

7. Em consequência, se falam mal de ti, não deves, apesar da falsidade dos comentários, desprezá-los ou subestimá-los. Ao contrário, examina em tuas palavras, teu comportamento, tuas atividades prediletas, tuas relações, tudo quanto pôde ter servido de pretexto para a calúnia, depois previne-te e evita-as! Pois se outros, vítimas das desgraças imprevistas, tiraram lições proveitosas, como nos ensina Mérope:

---

64. A este propósito, cita-se o seguinte trecho de Suetônio em *Vida dos Césares:* "No entanto quando eu vejo sua cabeleira tão artisticamente cuidada, quando eu o vejo coçar a cabeça com um só dedo, não me parece que um tal homem possa ter concebido um crime como a derrubada da constituição romana."
65. Trata-se de Marcus Licinius Crassus. Foi cônsul com Pompeu; formou com César e Pompeu o "primeiro triunvirato". Governou a Síria e morreu assassinado no ano de 53 pelos pártios.
66. Estadista e destacado estrategista militar de Atenas.

> "O infortúnio, verdade seja dita, deu-me sabedoria
> Mas ao preço de seres queridos, objetos de minha ternura".[67]

o que nos impede de tomar lições gratuitas de um inimigo e de tirar proveito disto para apreendermos uma parcela daquilo que nos escapa? Pois em relação a vários aspectos a clarividência do inimigo é maior que a do amigo – "o amor é cego diante daquilo que ama", como diz Platão; o ódio, por sua vez, mistura a intemperança da língua com o gosto pela bisbilhotice. Hiêron se viu repreendido por um de seus inimigos por ter mau hálito; de volta à sua casa, disse à mulher: "O que isto significa? Por que nunca me disseste nada?" Mas ela, que era tão simples quanto casta, lhe respondeu: "Eu achava que todos os homens tinham este hálito". Assim, é antes por nossos inimigos do que por nossos amigos e familiares que podemos tomar consciência de nossa manias, de nossas fraquezas corporais e de nossas falhas mais diretamente perceptíveis.

> É preciso tolerar com doçura as troças e as maledicências: esta paciência é um meio muito eficaz de aprender a dominar sua língua.

8. Mas deixemos isto para falarmos do domínio que devemos exercer sobre nossas palavras: não se trata de uma parte irrelevante da virtude. Pois seremos incapazes de manter a língua sob controle e a autoridade da razão se, por força de exercícios e de trabalho assíduo, não triunfarmos sobre as paixões mais detestáveis, como a cólera, por exemplo. As palavras que irrompem involuntariamente, o "comentário que vence a barreira dos dentes" e o fato de que "certas palavras levantam voo por si próprias", eis aqui a ação frequente dos espíritos comuns que seguem sua inclinação e se veem sujeitos aos caprichos de sua pusilanimidade, de seu julgamento débil, de sua conduta irrefletida. Ora, a palavra, coisa extremamente volátil, nos expõe, como ensina o divino Platão, aos mais pesados castigos que deuses e homens podem infligir. O silêncio, este, jamais tem contas a prestar: além disto não demonstra qualquer perturbação, como diz Hipócrates, dando ao

---

67. Conforme os pesquisadores, versos de uma tragédia perdida de Eurípides.

homem que foi escarnecido um traço de nobreza, uma marca socrática, ou com mais exatidão uma qualidade heracliana,[68] se é verdade que este herói "não se inquietava mais com uma calúnia do que com o zumbido de uma mosca".

Nada é mais nobre, certamente, nada é mais belo do que esta tranquila segurança diante dos insultos do inimigo: "suportamos muitas injúrias ao passar como um marinheiro ao longo dos rochedos", mas o exercício que com isto cultivamos é de um mérito ainda maior. Uma vez acostumado a suportar em silêncio as injúrias hostis, sofrerás menos os arrebatamentos de uma mulher que te interpela, ouvirás sem emoção as palavras ofensivas de um amigo ou de um irmão; e quando teu pai ou tua mãe te baterem ou atirarem algum objeto sobre ti, aceitarás a ofensa sem cólera e sem ressentimento. Sócrates tolerava Xantipa, que era irritável e acrimoniosa, para que por meio desse hábito se tornasse mais doce em relação aos outros. No entanto, é mais belo ainda que seja contra inimigos e estrangeiros que consigamos suportar com serenidade as insolências, os arrebatamentos, as pilhérias, os ultrajes, no desígnio de habituar nosso humor a permanecer tranquilo e a não se exasperar diante dos ataques.

A generosidade diante de um inimigo é uma propedêutica com grandeza moral.

9. Doçura e tolerância: eis o que devemos mostrar em nossas inimizades. Acrescentando que nossa retidão, nossa grandeza de alma, nossa bondade podem se manifestar aqui ainda com mais força do que em nossas amizades: sem dúvida há menos mérito em prestar um serviço a um amigo do que vergonha por recusá-lo, se ele tem necessidade. Sem dúvida não se vingar de um inimigo, quando a ocasião se apresenta, é humanidade! Mas ter compaixão por ele quando está abatido e ajudá-lo quando está a desgraça, dar atenção a seus filhos e ocupar-se de seus interesses que estão em perigo, o homem que não sente a generosidade de um tal comportamento, que não louva esta virtude, este,

---

68. Refere-se a Heracles ou Hércules, segundo os latinos.

"Forjou seu negro coração com aço ou ferro".[69]

Quando César ordenou que fossem reerguidas as estátuas triunfais de Pompeu que haviam sido derrubadas, Cícero lhe disse: "Ao reerguer as estátuas de Pompeu, erguestes as tuas". Em consequência, não é preciso ser avaro em elogio ou homenagem a seu inimigo, quando ele merece a reputação que lhe querem dar. Aqueles que estimam se fazem estimar mais ainda; e as reprovações que lhes dirigimos de uma outra feita inspiram crédito, visto que parecem ditadas não por ódio ao homem mas pela censura a seu comportamento. Mas o que há de mais belo e mais útil, é que assumindo o hábito de louvar nossos inimigos, de nos defendermos de todo rancor e de todo desvario diante do sucesso deles, nós afastamos mais ainda essa inveja que excita em nós com muita frequência a felicidade de nossos amigos e o sucesso de nossos familiares. Ora, que exercício é mais útil para a alma, e é capaz de prepará-la melhor, do que aquele que extingue em nós todo instinto de rivalidade e de inveja? Com efeito, como na guerra, há todo o tipo de necessidades, aliás ruins, que, convertidas em hábito e tendo força de lei, não podem ser facilmente suprimidas mesmo quando nos contrariam; do mesmo modo a inimizade, por si mesma inocula em nós, em combinação com o ódio, um sentimento de inveja, e deposita, ao nos visitar, o despeito, o júbilo que vem da desgraça dos outros, o rancor enfim. Além disto, a maldade, a velhacaria, o gosto pela intriga, que não parecem ser coisas criminosas ou iníquas em relação a um inimigo, acabam por se insinuar em nossa alma, alojando-se nela sem que possamos mais nos desfazer delas; e o hábito faz com que, não sabendo preservarmo-nos delas em face de nossos inimigos, cheguemos a empregá-las contra nossos amigos. Portanto Pitágoras tinha razão quando, em seu desejo de habituar os homens a se livrarem de toda violência e de toda exigência cúpida frente aos animais provados de razão, obtinha dos vendedores de passarinhos por meio de suas súplicas, e dos pescadores por intermédio da compra, a liberdade dos pássaros e dos peixes que eles tinham capturado, e proibia matar todo animal doméstico. E por certo é bem

---
69. Verso de Píndaro.

mais honroso ainda, as disputas e rivalidade em que se envolvem os homens, ser generoso, justo e leal em relação a nossos inimigos, reprimindo os impulsos maus, baixos e perversos, destruindo-os, para que possamos ser de mármore nos negócios em que tratamos dos interesses de nossos amigos e abstermo-nos de todo preconceito a seu respeito. Scaurus, inimigo de Domício, moveu um processo contra ele. Um servo de Domício foi procurá-lo antes do veredito fingindo que queria revelar um fato que ele não conhecia. Scaurus não disse uma só palavra, mandou que o pagassem e enviou-o a seu dono.[70] Catão acusava Murena de suborno político. Enquanto reunia as provas, era acompanhado por pessoas, de acordo com o costume, que observavam seu procedimento e não paravam de lhe perguntar se ele tinha a intenção de fazer naquele dia alguma investigação relativa à acusação. Quando ele respondia com uma negativa, eles se retiravam inteiramente confiantes. Davam assim demonstração clara da alta opinião que tinham de sua probidade. Mas há um testemunho ainda mais forte, e mais belo do que todos: é que, quando nos habituamos a ser justos mesmo em relação a nossos inimigos, adquirimos a certeza de que jamais nos tornaremos culpados de injustiça e de má-fé em relação a nossos íntimos e nossos amigos.

> Prestar homenagem ao mérito de seus inimigos, é prestar homenagem a seu próprio mérito e habituar-se a não ver com um olho invejoso a superioridade de seus amigos. É preciso ser generoso em relação a seus inimigos, a fim de sê-lo mais fácil e assiduamente em relação a quem amamos. Em suma, os inimigos são um exutório para o mal e um modelo para o bem.

10. Mas já que, segundo Simônides,[71] "toda andorinha com plumas deveria ter seu penacho" e que toda natureza humana induz em si

---

70. Segundo o comentário de Pierre Maréchaux, Plutarco equivocou-se neste trecho. Foi Cnaeus Domitius Ahenobarbus, tribuno do povo em 104 a.C., o acusador, alegando que Scaurus tinha violado os ritos durante uma cerimônia; o escravo também pertencia ao próprio Scaurus. Esta história é contada por Cícero em *Pro rege Deiotaro*.
71. Grande poeta lírico grego. Suas expressões de teor moralizante eram citadas com frequência.

mesmo o ciúme, a rivalidade, a inveja "que corteja os sonhadores de futilidades",[72] não seria prestar um serviço medíocre a si mesmo aprender a desembaraçar-se de nossos vícios remetendo-os a nossos inimigos e desviarmo-nos, por assim dizer, de seu escoamento fétido longe de nossos companheiros e de nossos íntimos? É o que parece ter compreendido um homem político chamado Demos: depois de uma revolução que resultara no triunfo de membros de seu partido, ele os aconselhou a não banir todos os cidadãos que haviam professado opiniões contrárias, mas poupar alguns, "para que – ele dizia –, não comecemos a discutir entre nós mesmo quando tivermos nos desembaraçado de todos os nossos adversários". Paralelamente, se consumirmos em nós estas paixões, exercendo-as contra nossos inimigos, nós importunaremos menos nossos amigos. Pois não é necessário "que o ceramista queira mal ao ceramista", segundo Hesíodo, nem "o cantor ao cantor"; e não é necessário que experimentemos ciúme em relação ao vizinho, a um parente, a um irmão "ansioso em fazer fortuna" e que encontra a prosperidade. Mas se tu não tens nenhum meio de desembaraçar tua alma de tais querelas, invejas, rivalidades, habitua-te a só sentir mordidas a respeito apenas do sucesso de teus inimigos. Excita contra eles o dardo de teu azedume, afia-o ao máximo. Pois os bons jardineiros, com o propósito de embelezar rosas e violetas, plantam em suas vizinhanças alhos e cebolas que atraem o suco cuja fetidez e acidez poderiam prejudicá-las. Da mesma maneira, quando voltamos contra um inimigo sua inveja e sua malícia, tornamo-nos doces em relação a nossos amigos e nos afligimos menos com seus sucessos. É por esta razão suplementar que gostamos de manter uma rivalidade de glória, de poder, de proveitos honestos, sem nos limitar a essa consumição no despeito, e se eles têm algumas vantagens sobre nós, nos esforçarmos para superá-los em vigilância, em energia laboriosa, em temperança e em autodomínio, à imitação de Temístocles que afirmava que a vitória de Miltiades em Maratona lhe tirara o sono.[73] Aquele que acreditar ter sido superado no tribunal por seu inimigo, nas funções públicas, na gestão dos negócios de

---

72. Verso de Píndaro.
73. Plutarco citava com frequência esta declaração. Como se sabe, ele é o autor de uma *Vida de Temístocles*. Refere-se aqui à famosa batalha de Maratona em que os invasores persas foram derrotados pelo exército comandado por Miltiades em 490 a.C.

Estado, ou diante de seus amigos e dos poderosos, este se deixa invadir pelo rancor e pelo mais completo desencorajamento em vez de esforçar-se e demonstrar emulação; para concluir, ele naufraga na ociosidade estéril do homem invejoso! Ao contrário, aquele que não se deixa cegar por conta de um inimigo execrado, mas submete a um exame equânime sua vida, seus costumes, suas palavras, seus atos, há de reconhecer quase sempre que essa superioridade invejada por ele próprio, seu adversário, deve-a à sua presteza, à sua previdência e à sabedoria de tal conduta. Então, para igualá-lo no amor da glória e do belo, ele redobrará os esforços e afastará para longe de si a indolência e a fraqueza.

Os vícios dos inimigos tornam nossas virtudes mais estimadas.

11. Se ao contrário é por adulações, artifícios, corrupções e traições que nossos inimigos parecem ter conquistado na corte dos príncipes e no governo um poder legítimo e escandaloso, não ficaremos aflitos com seu prestígio; e será ao contrário uma satisfação para nós colocarmos na balança com a conduta deles nossa própria independência, e uma vida pura, isenta de reprovações. Pois "todo o ouro sobre a terra e sob a terra vale menos do que a virtude", disse Platão, e é preciso ter sempre presente no espírito estes versos de Sólon:

"Trocar a virtude pelos bens do mundo? Isto não, nunca!"

Eu acrescentarei: "nem contra os aplausos com que nos incensam os parasitas na cena da vida, nem contra as honras e os privilégios nos círculos de eunucos, das depravadas e dos sátrapas a soldo dos potentados". Pois nada é invejável, nada é belo, quando é preciso adquiri-lo a um preço vil. Mas como o "amor é cego diante daquilo que ama", como Platão afirma, e como nossos inimigos nos impingem a feiura do vício por seus excessos, não devemos deixar estéreis nem o prazer que nos dão seus erros nem a tristeza morosa que excitam em nós seus sucessos; em consequência, apoiemo-nos neste duplo exemplo para tornarmo-nos melhor do que eles evitando sua perversidade e igualar seu sucesso sem imitar suas malícias.

Sobre a Maneira de Distinguir o Adulador do Amigo

O amor próprio é o começo da adulação, prática irreligiosa por excelência.

1. Quando um homem dá sem cessar em palavras testemunhos de amor próprio, meu caro Antiochus Philopappos,[74] Platão observa que todo mundo procura desculpá-lo; e no entanto este sentimento, ele acrescenta, em meio a uma pletora de vícios muito diferentes encerra um de grande porte, o qual impede que se possa fazer sobre si mesmo um julgamento íntegro e sem parcialidade. "Pois o amante é cego diante daquilo que ama",[75] a menos que tenha aprendido, por meio de um estudo especial, a habituar-se a estimar e a procurar o belo de preferência ao inato e ao familiar. No seio da amizade, abre-se assim ao adulador um vasto campo de ação: nosso amor próprio é para ele um terreno de acesso inteiramente propício à investigação de nós mesmos; por causa dele, cada um de nós é por si mesmo o primeiro e o maior adulador, não hesitando em confiar no adulador estranho do qual espera obter o sufrágio para confirmar suas crenças e seus desejos. Com efeito, aquele que acusamos de amar a adulação não passa de

---

74. Descendente dos reis de Comageno, foi destituído por Vespasiano em 72 a.C. antes de se instalar em Atenas onde se destacou nos cargos de corego e arconte. Corego era o cidadão ateniense encarregado da importante função de custear as despesas de um coro. Arconte era um magistrado que fazia parte de uma junta (o arcontado) de governo.
75. Refere-se a uma citação das *Leis* de Platão.

um homem perdidamente apaixonado por si mesmo[76] que, na paixão que traz em si mesmo, deseja e acredita possuir todas as qualidades; ora, se o desejo é natural, a crença não deixa de ser aleatória e reclama muita circunspecção. Mas, supondo que a verdade seja divina e que seja, segundo a expressão de Platão, o princípio "de todos os bens para os deuses e de todos os bens para os homens", o adulador corre o grande risco de ser o inimigo dos deuses e sobretudo do deus pítico,[77] pois não deixa de estar em contradição com o "conhece a ti mesmo", iludindo a todos por sua própria conta e cegando-o a respeito de si mesmo, ou em relação às virtudes e aos vícios que estão nele, tornando a uns imperfeitos e inacabados, a outros completamente incuráveis.

O adulador, este parasita das naturezas nobres, é atento aos reveses da fortuna.

2. Se nestas condições o adulador, como toda canalha, se voltasse geral ou essencialmente para as naturezas vulgares e medíocres, seria menos terrível e nos protegeríamos dele mais facilmente. Mas assim como os vermes penetram sobretudo nas madeiras suaves e perfumadas, de igual maneira são os corações generosos, honestos e bondosos que acolhem o adulador e o alimentam quando este se agarra a eles. Isto no entanto não é tudo: como disse Simônides, "a criação de cavalos não supõe um Zacinto,[78] mas terras férteis"; assim a adulação, de maneira evidente, não é o acólito dos indigentes, anônimos ou dos despossuídos, mas faz periclitar e consumir as casas e os empreendimentos de importância, chegando frequentemente até a derrubar os reinados e os impérios. Não se trata pois de assunto irrisório exigindo apenas um pouco de previdência tal como espiar suas manobras para apanhá-lo no

---

76. Pierre Maréchaux evoca, neste caso, a seguinte citação de Aristóteles na *Retórica*: "Como todos os homens têm naturalmente amor-próprio, todos consideram normalmente como agradáveis os objetos que lhes pertencem, quero com isto dizer seus discursos e suas obras. Eles amam também em geral seus aduladores, suas amantes, suas glórias, seus filhos; pois seus filhos são suas obras."
77. Refere-se a Apolo, pois o epíteto "pítico" remete a um feito deste deus ao vencer o dragão ou a serpente Píton, símbolo do poder infernal do mundo subterrâneo. A frase "Conhece-te a ti mesmo" era uma das inscrições do templo de Apolo em Delfos.
78. Alusão a Zacinto, uma ilha grega pouco propícia ao pasto.

ato e impedir de fazer mal à amizade e torná-la suspeita. O verme com efeito afasta-se dos agonizantes e abandona os cadáveres em que se coagula o sangue de que se nutre; quanto aos aduladores, eles desdenham o comércio das existências estéreis e congeladas, mas atraídos pela glória e pelo poder, nutrem-se dela e desertam o mais rápido que podem quando a roda da fortuna muda.

Mas é preciso evitar termos de esperar até o fim desta experiência que é inútil, ou melhor, prejudicial e perigosa; é triste, quando chega o momento de recorrer aos amigos, sentir que eles não são mais os amigos que tínhamos e que não é possível transformar um coração desonesto e pusilânime num coração sincero e constante. Ora, com os amigos acontece o mesmo que com as moedas: é preciso testá-las antes do uso, e não esperar que seja o uso que nos desengane. Pois não é depois de ter sido enganado, mas exatamente para não sê-lo, que devemos testar e desmascarar o adulador; sem isto, teremos a mesma sorte desses homens que provam venenos mortais e só podem julgar seu efeito à custa de sua saúde e de sua vida.

Pois não louvamos esses imprudentes assim como não aprovamos esses homens, que tendo por princípio que um amigo deve procurar unicamente o honesto e o útil, imaginam, quando damos prova de amenidade no comércio da vida, que estamos tomados pela adulação. Um amigo não deveria ser nem duro nem intratável, e não é o azedume nem a austeridade que dão nobreza à amizade. Ao contrário, a própria dignidade e beleza que a caracterizam consistem em sua doçura e em seus encantos.

"É junto a ela que moram as Graças e o Desejo",[79]

aliás não é somente para os infelizes, como afirma Eurípides, que é doce "ao fixar o amigo, encontrar seus olhos"; mas a amizade não acrescenta menos prazer e agrado ao sucesso quanto livra de penas e de embaraços o revés. E assim como, segundo Evenos,[80] o fogo é o melhor dos condimentos, também ao misturar a amizade à vida, a divindade espalhou o brilho, a doçura e a ternura por toda a parte onde ela assinala sua presença e onde colabora com o prazer. De resto, se a amizade não

---

79. Citação da *Teogania*, de Hesíodo.
80. Refere-se ao poeta Evenos de Faros, citado também por Platão e, ao que tudo indica, contemporâneo de Sócrates.

mostrasse nenhuma complacência em seu comércio com o agrado, mal poderíamos compreender porque o adulador se serviria do prazer para se insinuar para nosso lado. Mas de fato, assim como o ouro falso ou do metal de baixo quilate, estes sucedâneos do fulgor e das cintilações do verdadeiro ouro, o adulador, imitando a doçura e a boa-fé do amigo, esmera-se em parecer sempre brincalhão e expansivo: não se opõe a nada, jamais contradiz. Não é preciso, no entanto, desde que alguém nos elogie, suspeitar de que quer nos adular; pois também faz parte da amizade tanto elogiar quanto desaprovar com justeza. Digo mais: um excesso de azedume não está de acordo nem com a amizade nem com a urbanidade. Ao contrário, quando a benevolência amiga concede com liberalidade e solicitude os elogios devidos ao bem, recebemos pacientemente e sem mortificação as admoestações e as reprimendas carregadas de franqueza, escutamos com confiança e ficamos agradecidos, convencidos de que são necessárias, pois vêm de um homem que elogia de boa vontade tanto quanto adverte contra sua vontade.

É difícil distinguir o adulador emérito do amigo.

3. "Então é difícil", dir-se-á, "distinguir o adulador do amigo" já que o prazer ou o elogio não constituem o critério distintivo, pois quanto à obsequiosidade e às pequenas intimidades, a adulação, evidentemente, vai bem mais longe que a amizade. E como não? Responderíamos, é de fato um empreendimento de longo fôlego distinguir o adulador tarimbado, aquele que saber exercer seu ofício com talento, como homem hábil, e não, como faz o vulgar, esbanja tal nome com esses parasitas, esses fila-boias ou essas pessoas que, como alguém dizia, só se fazem ouvir depois da ablução das mãos.[81] A essas pessoas não nos inclinamos considerá-las aduladoras: a abjeção de seu caráter torna-se aparente desde o primeiro serviço, depois do primeiro copo, por meio de alguma pilhéria ou de alguma indecência. Seria inútil, por exemplo, desmascarar Melantios, esse parasita de Alexandre de Feres, que quando lhe perguntavam de que maneira Alexandre fora assassinado, não se envergonhava de responder: "com um golpe que lhe atravessou o flanco

---

81. Depois de ter lavado as mãos, isto é, na hora das refeições, quando se trata de assuntos amenos. Por sua vez, a distinção entre o parasita e o adulador obedece, como observam os comentadores eruditos, a uma convenção vigente na comédia.

e visava meu estômago"; o mesmo vale para esses aproveitadores que esvoaçam sem parar em volta de uma mesa bem servida, e que "nem o fogo, nem o ferro, nem o bronze poderão afastar de uma ceia";[82] ou então para essas aduladoras cipriotas que, depois de terem chegado à Síria, foram apelidadas de escabelos,[83] porque curvavam as espinhas para ajudar as esposas dos reis a subir na carruagem.

Os mais hábeis aduladores são os que sabem dissimular: eles são difíceis de serem identificados.

4. Qual é então o adulador do qual devemos desconfiar? Seria aquele que não quer ser tomado nem se deixar apanhar como tal, aquele que jamais surpreendemos pilhando as cozinhas, que não vemos medir as sombras e calcular a hora do jantar, que não cai de bêbado na primeira ocasião? Não exatamente, o verdadeiro adulador, na maior parte do tempo, cultiva ao mesmo tempo a abstinência e a intriga; ele acha que deve se intrometer em vossos negócios, ele quer compartilhar vossos segredos; em suma, ele desempenha seu papel de amigo à maneira do ator de tragédias e não do bufão ou do ator cômico. Pois, como afirma Platão, "o cúmulo da injustiça é querer passar por justo quando não o somos". É preciso igualmente considerar que a adulação mais perniciosa não é aquela que se mostra, mas a que se esconde, que não faz gracejos, mas antes se quer séria: pois ela torna suspeita a verdadeira amizade, com a qual acontece frequentemente que se confunda, se não formos atentos. Gobrias, um dia em que perseguia o Mago em fuga, caiu numa câmara escura e aí travou um duelo intenso; ora, vendo que Darius também estava aí, na expectativa, gritou para que ele também atacasse, pois assim poderia trespassar um e o outro.[84] Mas nós, que não pudemos de forma alguma adotar o provérbio *pereça o amigo com o inimigo*, se desejamos arrancar ao adulador esta máscara de amizade que aparentemente lhe é consubstancial, devemos temer acima de tudo dois escolhos: quer repudiar o que é útil afastando o que é ruim,

---

82. Menções de frases atribuídas a Êupolis, autor de comédias contemporâneo de Aristófanes, com quem colaborou em algumas comédias.
83. Escabelo, um estrado, pequeno banco para apoio dos pés.
84. Refere-se a um episódio contado por Heródoto.

quer nos deixarmos expor a algum aborrecimento poupando o objeto de nossa afeição. Da mesma maneira que todos os grãos selvagens que, na joeira, se misturam ao trigo, os mais difíceis de separar são aqueles que se mostram análogos por sua forma e tamanho, desde que não caiam separadamente se os furos da peneira forem estreitos demais e que passem com o restante se as malhas são leves demais, também não é nada fácil, já que a adulação quer tomar parte em cada emoção, em cada movimento, em cada prática e em cada hábito da amizade, distinguir entre uma e a outra.

Astúcias do adulador

5. A amizade é o que há de mais doce no mundo e nada nos dá tanta satisfação; eis por que o adulador usa o prazer para seus fins de sedução e eis por que ele é o homem dos prazeres. É igualmente porque a vontade de ajudar e de se tornar útil caminha pelos sulcos da amizade (a ponto de se dizer que um amigo é mais indispensável do que o fogo e a água) que o adulador, devotando-se inteiramente aos bons ofícios, procura sem cessar fazer profissão de zelo, diligência e de atenção. O que funda a amizade em primeiro lugar é a identidade dos regimes de vida e semelhança dos hábitos; e geralmente a semelhança dos gostos e das aversões é a primeira coisa que nos liga e afeiçoa um ao outro, tendo em vista a conformidade das sensações.

O adulador sabe disto perfeitamente bem; e, como um objeto que moldamos, ele se transforma e se modela, adaptando-se e conformando-se por imitação aos que deseja conquistar o coração; variável em sua metamorfose, constante em sua impregnação do outro, ele faz pensar na seguinte frase: "Não! De Aquiles não és o filho, mas o próprio herói em pessoa". Mas examinemos o que está presente em toda manobra: ele observa que o que chamamos de falar com franqueza é a língua característica da amizade na medida em que se pode falar de uma linguagem apropriada a uma criatura, enquanto a ausência de franqueza denota a indiferença e a baixeza. Então, sem negligenciar a imitação das aparências, igual a esses cozinheiros talentosos que, para evitar o gosto dos molhos adocicados, misturam uma porção de sucos picantes e amargos, os aduladores afetam uma sinceridade que não é nem espontânea nem salutar, que é capaz de vos lançar um brilho de advertência, no espaço de um franzir de sobrancelhas, e de fato apenas afaga o amor-próprio. Deste modo o personagem é difícil de ser apanhado e nisto se assemelha a esses animais, que tendo a faculdade de mudar de cor, revestem-se da cor da terra ou do objeto a que se ligam. Mas o adulador nos engana, e já que se veste de uma roupa falsa, cabe a nós reconhecê-lo assinalando as diferenças que o caracterizam e desmascará-lo, a ele "que se ornamenta – como diz Platão –, com cores e vantagens de empréstimo, já que ele próprio não as tem".

A semelhança dos gostos está na origem da amizade; eis que o adulador irá fingir.

6. Examinemos, portanto, a questão em sua raiz. O princípio da amizade, já o afirmamos, é em geral o resultado de temperamentos e naturezas que reagem de comum acordo, que apreciam aptidões e hábitos morais do mesmo estofo, e que têm prazer nas mesmas atividades, nos mesmos negócios, nas mesmas diversões. Por isto é que se diz:

**"O velho ao velho sabe agradar por seus discursos
E a mulher à mulher, e a criança à criança,
O enfermo ao enfermo; e quando o indigente
Encontra seu semelhante, ele alivia sua miséria".**[85]

Sabendo, portanto, que é no prazer experimentado com objetos semelhantes que o comércio da amizade e afeição tem sua fonte, o adulador procura inicialmente abordar alguém por este meio e instalar-se a seu lado, à maneira daquele que tira proveito da extensão de algumas pastagens com a finalidade de aprisionar um animal selvagem. Ele vai se insinuando imperceptivelmente, fingindo ter as mesmas disciplinas, as mesmas preocupações, os mesmos regimes de vida, dos quais ele se impregna até que o outro se entrega, deixa-se adoçar e recebe sem desprazer a mão que afaga. Ele não cessa de reprovar tudo quanto acredita ser desagradável ao outro, ocupações, maneiras de viver, indivíduos; ao

---
85. A transcrição, como registram os estudiosos, deve pertencer a uma comédia que se perdeu.

contrário, de tudo quanto dá deleite à sua vítima, ele se torna o louvador, mas seu elogio, que não se circunscreve à moderação, mergulha principalmente na hipérbole e no maravilhamento entusiasta. Por fim, ele lhe traz confirmação às suas predileções e antipatias, às quais finge possuir atribuindo-as mais ao exercício da razão do que da paixão.

Mutável e sempre diverso, assim é o adulador.

7. Como desmascará-los, portanto? E em que nuances distinguir aquele que não é nosso semelhante, que também não se tornou tal, e no entanto quer passar por sê-lo? Em primeiro lugar, é preciso examinar se seus princípios são duradouros e se são inquebrantáveis; se sempre ele tem prazer nas mesmas coisas e se de fato elas o agradam; enfim, se sua vida é regrada e dirigida num único e mesmo plano, como convém a quem procura, guiado por seu livre-arbítrio, uma amizade fundada na conformidade de costumes e de caráter; pois este é um amigo verdadeiro. Quanto ao adulador, como homem cuja psicologia não tem consistência, ele leva uma vida fundada na exigência de um outro e não na que lhe é própria; e é com essa imitação do outro que ele se articula e se modela; também, longe de ser coeso e uno, ele é múltiplo e variado, ondulante como um fluido que vertemos e que, passando de uma forma para outra, muda de contorno e de configuração segundo o recipiente que o acolhe. O macaco se esforça, ao que parece, em imitar o homem e se deixa apanhar quando se agita e saracoteia em sua presença; quanto ao adulador, engana seu mundo e coloca-o na armadilha de um mimetismo que, longe de ser uniforme, leva-o a cantar e dançar com um ou a lutar e se cobrir de poeira com o outro. Se quer agradar a quem só ama a caça e a equipagem canina, é justo que, caminhando sobre seus rastros, não deixe de exclamar como Fedra:

> "Sim eu ardo, ó grandes deuses, em atiçar as vozes
> E em apressar minha matilha contra os cervos
> encurralados!"[86]

---

86. Citação de *Hipólito*, de Eurípides.

De fato, ele não dá importância à caça, é o caçador que ele procura e que quer apanhar em sua rede. Se ao invés sua caça é um jovem letrado e estudioso, ele não abandona mais os livros, sua barba desce até os pés, sua única preocupação é arvorar o burel[87] e a indiferença filosófica, ele guarda na ponta da língua os números e os triângulos retângulos de Platão. Mas desde que se apresente um preguiçoso, um bêbado e ainda por cima rico:

"Então o sábio Ulisses tirou seus trapos",[88]

o burel é jogado fora, a barba é cortada como uma moita estéril. Doravante trata-se apenas de cântaros para refrescar, taças, risos durante os passeios e de ridicularizar os filósofos. Assim é que, segundo se diz, quando Platão chegou outrora a Siracusa e que a mania inveterada da filosofia se apoderou de Dionísio,[89] o palácio foi tomado pela poeira levantada por uma multidão de geômetras amadores; mas depois que Platão caiu em desgraça e que Dionísio, decepcionado com a filosofia, retomou sua paixão pelo vinho, pelas mulheres, pelas frivolidades e pela devassidão, todos os seus cortesãos, metamorfoseados como que por um filtro de Circe, retornaram à ignorância, à negligência e à estupidez. Esta foi igualmente a conduta desses mestres da adulação e demagogos cujo modelo incontestável foi Alcibíades: em Atenas, nosso homem era íntimo dos gracejadores, criava cavalos e levava uma vida de prazeres e de elegância; em Lacedemônia, tinha os cabelos raspados, vestia um manto gasto e tomava banhos frios; na Trácia, guerreava e se dava à bebedeira; e quando chegou à corte de Tissaferne, entregou-se à volúpia, ao efeminamento e à jactância. Onde quer que estivesse, ele adulava o povo e conquistava as boas graças de todos identificando-se a eles e adequando-se a seus costumes. Muito diferentes foram Epaminondas e Agésilas; ainda que tivessem tido contato com um grande número de homens, de cidade e de costumes, permaneceram fiéis a seu estilo pessoal, na arte de vestir-se, em seu regime alimentar, em seus hábitos de

---

87. Referência à lã grosseira da túnica dos filósofos.
88. Citação de *Odisseia*, de Homero.
89. Dionísio I governou Siracusa de 405 a.C. a 367 a.C. A convite de Díon, Platão foi para Siracusa para encarregar-se da educação filosófica de Dionísio I. Este morreu durante uma bebedeira.

linguagem e em seu modo de vida. Da mesma maneira, Platão era o mesmo tanto em Siracusa quanto na Academia, tanto na casa de Dionísio quanto na casa de Díon.[90]

Como discernir o adulador: primeiro sinal de reconhecimento, as variações.

8. Mas é fácil reconhecer as metamorfoses deste polvo que é o adulador; basta que afetemos nós próprios a inconstância reprovando o gênero de vida que elogiávamos antes e mostrando gosto, como se estivéssemos sob o império de um súbito enlevo, por ocupações, condutas e maneiras de falar que desaprovávamos. Pois logo veremos que ele nada tem de constante, nada que lhe seja pessoal, e que não é de forma alguma por meio do prisma de uma afeição própria que ele ama ou odeia, se alegra ou se aflige; ao contrário, veremos que ele há de refletir, como um espelho, a imagem das paixões, das condutas e das atividades do outro. Queixamo-nos de um amigo em sua presença: "Ah, como demorastes a desmascarar este personagem; quanto a mim, ele me desagradou imediatamente!" Ao contrário, mudamos de opinião e cobrimo-lo de elogios? Ei-lo, justos céus, a retorquir impetuosamente: "eu compartilho tua satisfação, eu sei que gostas deste homem e isto me agrada também, pois tenho plena confiança nele!" Falamos de mudar de vida, por exemplo abandonar os negócios pelo repouso e pela tranquilidade: "Há muito tempo, diz ele, que penso que era necessário que nos afastássemos do tumulto e da malevolência". Mas estás pensando em voltar à carreira política, em retornar ao tribunal? Ele se faz teu eco e diz: "Eis aí sentimentos dignos de ti: a ociosidade tem seus encantos, admito, mas ela não traz nenhuma glória; ela termina humilhando um homem!" Portanto, deve-se dizer logo a um tal personagem:

"Eis que te vejo, estranho, diferente do que eras ontem!"[91]

---

90. Díon era famoso por sua cultura refinada. Tornou-se governante de Siracusa, depois de vencer Dionísio II. Foi assassinado em 353 a.C. Platão refere-se às suas relações com Díon e Dionísio, como verificam os pesquisadores em várias de suas cartas. Plutarco, como se sabe, é autor de uma *Vida de Díon*.
91. Citação da *Odisseia*, de Homero.

Que posso fazer com um amigo que segue todos os meus movimentos e que opina sem cessar no mesmo sentido: minha sombra neste caso faz melhor do que ele. Prefiro um que procure comigo a verdade e me ajude a proferir um julgamento. Eis aí, portanto, uma das maneiras de reconhecer o adulador.

Segundo sinal: o adulador confunde todos os valores morais.

9. Mas, próxima a essas tentativas de identificação com suas vítimas, há uma outra diferença do mesmo estilo que devemos observar: o verdadeiro amigo não é um imitador tarimbado em relação a tudo que é de nosso interesse, assim como não é um aprovador obstinado: ele aprova somente o que contém excelência. E como diz Sófocles, ele é feito para

"partilhar nosso amor, mas não o nosso ódio"[92]

e, grandes deuses, para partilhar conosco os sucessos honrosos e um amor pelo belo, sem para tanto tornar-se o acólito de nossos desvios e o cúmplice de nossas fraquezas. E, no entanto, quem pode saber se, coisa comum em casos de oftalmologia, uma secreção contagiosa, consequência da frequentação dos outros e do compartilhamento de outras vidas, não nos impregnará a contragosto com maus hábitos e erros. Assim é que os íntimos de Platão imitavam suas costas curvadas, os de Aristóteles gaguejavam seguindo seu exemplo, os do rei Alexandre inclinavam a cabeça e pronunciavam a letra "r" guturalmente durante a conversa. Pois certamente é verdade que determinados indivíduos acabam por se regrar com emulação e de maneira inconsciente com base nos costumes e na forma de viver daqueles que frequentam. Mas quanto ao adulador, ele é em tudo semelhante ao camaleão, que pode adotar todas as cores com exceção da branca; e se ele não consegue alcançar uma semelhança exata nos domínios dignos de sua obsessão, ele não deixa de imitar tudo que é vil. A este propósito, os pintores sem talento, cujo frágil pincel é incapaz de captar os belos traços, se detêm na representação minuciosa das rugas, das sardas e das cicatrizes. À sua semelhança, o adulador dedica-se à intenção de reproduzir a intemperança de seu modelo,

---

92. Citação de *Antígona*, de Sófocles.

sua superstição, sua cólera, seu azedume em relação aos criados domésticos, sua desconfiança em face dos familiares e seus próximos. Pois suas inclinações naturais levam-no espontaneamente ao vício, e ele nos imita deliberadamente no mal, para ter menos ainda do que nos repreender. Com efeito, aquele que se liga tão somente a um ideal de virtude torna-se suspeito de odiar e condenar os erros de seus amigos: suspeita de que causou por si só a perda e a ruína total de Díon no espírito de Dionísio, de Samiros no de Filipe,[93] de Cleomenes no de Ptolomeu.[94] Mas o adulador, que quer ser nosso semelhante, e mais adiante parecê-lo, sabe agradar e ganhar nossa confiança. Ele se baseia no que chama de sua dedicação integral para não reprovar o que é mal e para simpatizar conosco e compartilhar nossas afinidades em todas as coisas. Deste modo os bajuladores não querem desconhecer nem mesmo aquilo que é involuntário ou casual. E quando fazem corte a estes valetudinários, fingem sentir as mesmas enfermidades simulando uma vista ruim ou uma audição difícil, quando aqueles que frequentam são quase surdos ou quando não veem mais quase nada. Deste modo, os aduladores de Dionísio, quando sua vista foi enfraquecendo, se acotovelavam entre si, e à mesa, derrubavam os pratos. Alguns ainda vão mais longe no empreendimento: querem imitar até os desvãos da alma e se impregnar das paixões mais íntimas e mais secretas do homem que adulam. Ao serem informados de uma infelicidade conjugal ou de conflitos com seus filhos ou com seus criados, imediatamente, eles se lamentam da infelicidade que lhe causam seus próprios filhos, sua mulher, seus pais e seus amigos, e se lamentam à guisa de confidência. Pois a semelhança consolida a comunidade de sentimentos e, após ter recebido de alguma maneira um penhor, deixa-se escapar em sua presença alguma confissão secreta; daí em diante, estabelece-se um comércio entre os interessados e temermos estar em dívida diante de tanta confiança. De minha parte conheço um adulador que repudiou sua mulher sob o pretexto que seu amigo havia expulsado a sua. Mas como ele continuava a vê-la secretamente e a receber suas visitas, sua

---

93. Plutarco é autor da obra *Aforismos reais* em que narra várias tiradas espirituosas de Filipe II da Macedônia.
94. Ou Ptolemaios. Plutarco também é autor de uma *Vida de Cleomenes* e de uma *Vida de Ptolomeu (Ptolemaios)*.

manobra foi descoberta: foi a mulher do outro que descobriu tudo. Isto quer dizer que é preciso conhecer muito bem o adulador para saber que os jambos citados a seguir lhe convém melhor que ao caranguejo:

> "Todo seu corpo é apenas ventre e seus olhares agudos
> Penetram tudo; ele se arrasta com seus dentes"

pois este é o retrato do parasita, o retrato

> "de um destes amigos da frigideira e de depois da refeição",

como diz Êupolis.[95]

Terceiro sinal: ele se deixa superar.

10. Mas a este propósito reservamos só para ele uma parte do nosso tratado. Há particularmente, em matéria de imitação, um artifício do adulador que não devemos omitir: é que, quando imita alguma boa qualidade, ele deixa sempre para a vítima a preeminência. Pois os verdadeiros amigos não estão animados mutuamente por nenhuma rivalidade, por nenhuma inveja: sejam quais forem os seus êxitos, iguais ou desiguais, eles não alimentam nem impaciência nem orgulho. Mas o adulador sempre atento a ser sempre uma segunda voz, não aspira jamais à igualdade e convém que seja superado e vencido em tudo, exceto no mal, pois neste caso ele disputa o primeiro lugar. Estais mal disposto? Ele se proclama melancólico. Sois supersticioso? Ele se diz fanático. Estais apaixonado? Ele está enlouquecido pelo amor. "Ristes fora de hora?", diz ele, "mas eu só faltei estourar de rir." Nas qualidades louváveis, é o contrário: basta ouvi-lo dizer "ele é rápido na corrida, mas vós tendes asas", "ele sabe montar seu cavalo, mas não é nada em comparação com um centauro como vós", "eu tenho uma certa verve poética – ele dirá –, e consigo traçar bem um hemistíquio,

> **Mas não tenho o raio que é o dom de Zeus"[96]**

---

95. As duas citações são atribuídas a Êupolis, ver nota 84.
96. Citação de um verso de Calímacos, poeta erudito e crítico que dirigiu a biblioteca de Alexandria.

pois ele trama ao mesmo valorizar o gosto de seu interlocutor, imitando-o, e fazer uma homenagem a seu talento superior, cedendo-lhe a palma. Estes são os traços distintivos que separam o adulador do amigo, no mundo da imitação.

A finalidade da adulação: agradar custe o que custar.

11. No entanto já que o prazer, como dissemos, é um fator comum (pois o homem de bem não é menos feliz com seus amigos do que o vicioso com seus aduladores), tratemos ainda de assinalar a distinção. Ela consiste em relacionar o prazer à sua finalidade. Considera o problema deste ângulo: o perfume e o antídoto têm todos os dois uma doce fragrância, com a diferença que um só serve para agradar o olfato, enquanto o outro, essencialmente purgativo, esquentando ou cicatrizando, é apenas fortuitamente cheiroso. Outro exemplo: os pintores obtêm pela composição cores e tintas cheias de brilho, mas há também drogas medicinais cujo aspecto é brilhante e a cor nada tem de repulsiva. Onde está a diferença? Evidentemente será o uso final que irá trazer a distinção. De igual maneira, as graças que presidem à amizade, além de comportar a nobreza e a utilidade, têm um encanto que é como sua flor, e que muitas vezes uma parte do prazer, a mesa e o vinho, quantas vezes, por Zeus, o riso e os ditos engraçados serviram, por assim dizer, para servir de adubo aos assuntos honestos e sérios! É isto que faz um poeta dizer:

"Eles alegram um a outro com ditos brincalhões"[97]

e

"Que disputa, alterando em nossos dois corações
Uma amizade tão terna perturbar as doçuras?"[98]

Mas no que diz respeito ao adulador, seu negócio, seu único desígnio, é preparar e tramar uma facécia, real ou verbal, por prazer ou para o prazer. Em suma, ele acredita ter feito tudo para ser agradável, enquanto o amigo, fazendo sempre o necessário, mostra-se

---
97. Verso da *Ilíada*, de Homero.
98. Verso da *Odisseia*, de Homero.

frequentemente agradável, mas também é causa de desprazer. Não que ele queira tornar-se desagradável, mas se considera que o melhor é sê-lo, ele não irá recuar de forma alguma diante dessa necessidade.

Pois, assim como o médico, quando o recurso é útil, administra o açafrão e o nardo[99] e, por Zeus, prescreve frequentemente banhos refrescantes ou um manjar delicado, mas às vezes deixa de lado esses remédios e impõe o castóreo[100]

"Ou a vulnerária[101] vergonhosa, de odor fétido"

ou vos obriga a beber um pó de polium[102] sem ter a intenção de vos prejudicar, assim como antes não havia desejado vos agradar, já que tanto num caso como no outro era o interesse por vossa saúde que o havia guiado, da mesma maneira o amigo saberá algumas vezes tecer elogios e discursos corteses para te conduzir ao bem, como se vê neste aqui:

"Teuco, cabeça armada, rei, filho de Telamon,
Dirige deste modo a tua lança"

ou então neste outro:

"Poderia jamais te esquecer, divino Ulisses?"

E, quando tiver necessidade de corrigir, de atacar com uma palavra incisiva e uma franca liberdade cheia de solicitude, não hesitará em dizer:

"Filho de Zeus, Menelaus, perdeste a razão?
Esta loucura não se ajusta a quem tu és..."[103]

Às vezes, o amigo até mesmo juntará o gesto à palavra: assim Menêdemos,[104] vendo que o filho de seu caro Asclepíades levava uma vida de depravação e de libertinagem, fez voltá-lo ao dever, fechando-lhe a

---

99. Utilizados como óleos aromáticos.
100. Retirado da matéria segregada pelas glândulas sob a pele do abdome do castor.
101. Planta usada em tratamento de úlceras e feridas.
102. Planta labiada (*teucrium polium*), também denominada pólio-montano. Dela se extrai um medicamento para feridas, chagas e úlceras.
103. Estes versos e os dois anteriores pertencem à *Ilíada*, de Homero.
104. Filósofo, discípulo de Fáidon de Eis e amigo de Asclepíades de Fliús. Diógenes Laércios incluiu-o em sua *Vida e doutrina dos filósofos ilustres*.

porta e recusando-lhe a saudação. Também Arcesílaos proibiu que Baton entrasse em sua escola, pois este havia inserido, em uma de suas comédias, um verso satírico contra Cleanto: foi necessário o perdão concedido por este último assim como o arrependimento do ofensor para que a reconciliação se desse.[105] Pois se afligimos aquele a quem amamos, é preciso que seja em seu proveito e sem destruir a amizade com palavras ferinas. A reprovação acerba deve ser tão somente um remédio destinado a salvar e proteger aquele de quem cuidamos. É por isto que, de forma semelhante a um músico, o amigo sabe, tendo em vista o belo e o útil, modificar o tom de seu instrumento: às vezes ele afrouxa as cordas, às vezes ele as retesa; é em geral agradável, sempre é útil. Mas o adulador, que só tem em geral uma corda, a do prazer e dos agrados, tem costume de fazê-la ressoar sozinha. Ele nada sabe do sentido de um ato de oposição, de uma palavra de contrariedade; escravo das vontades do outro, ele fala e canta sempre em uníssono. Xenofonte conta que Agesílaos[106] recebia de bom grado os elogios daqueles que, a ocasião se apresentando, sabiam reprová-lo. Podemos da mesma forma acrescentar mais confiança nas doçuras e complacências de um amigo que, quando há necessidade, mostra resistência e desagrado. Mas consideremos suspeita a amizade de um homem que não se dedica senão a adular nossas inclinações e nossos prazeres, sem ter jamais a coragem de nos repreender. E, na verdade, é preciso ter presente no espírito esta atitude de Lacon que, ouvindo um panegirista do rei Charilos, exclamou: "Ora! será que pode ser um homem de bem quem não mostra sequer aspereza em relação aos maus?"

Perigo dos elogios que dão ao vício o nome da virtude.

12. Diz-se que a varejeira se insinua sob as orelhas dos touros e o carrapato se agarra às dos cães. Os ambiciosos têm o seu inseto, que é o adulador. Ele toma conta de suas orelhas mimando-as; e aí fica grudado; e dificilmente são retirados para serem esmagados. Também

---

105. Arcesílaos de Pitane, filósofo, fundador da Academia Média (268-241 a.C.). Baton foi um autor da chamada Comédia Intermediária que sucedeu à Comédia Antiga, cujo modelo é Aristófanes. Cleantes foi um filósofo da escola estoica.
106. Agesílaos (ap. 444-361), rei de Esparta, Xenofonte foi seu amigo e narrou suas vitórias militares em *Helênicas*.

se faz necessário, em caso semelhante, recorrer a um julgamento vigilante e esclarecido para distinguir se são nossas ações ou nossa pessoa que ele louva. Reconheceremos que o elogio é concedido ao ato, se ele emana de pessoas que também possuem o mesmo querer ou o mesmo ideal, se ele não se refere a nós em particular, mas se se dirige também a todos aqueles que agiram de maneira semelhante, se ele não visa pessoas que mudam sem parar de opinião, e por fim – eis o critério – nós mesmos temos consciência de não termos remorsos pelo que esses elogios nos trazem, e se não gostaríamos de ter feito ou dito justamente o contrário. Pois trazemos dentro de nós mesmos um tribunal diante do qual, por sua vez, também nós nos julgamos. Ora, esse tribunal não admite o elogio; ele é impávido, inflexível, e o adulador não saberia prevalecer nele. Mas não sei como acontece que a maior parte dos homens, quando estão infelizes, fecham os ouvidos aos consolos, e se deixam antes conduzir por seus companheiros de infortúnio e de lamentações; e quando eles cometeram um erro e faltaram a algum dever, aquele que por suas advertências e suas admoestações procura lhes inspirar um arrependimento salutar assume a seus olhos a figura de inimigo e de acusador. Quando lhes dirigem ao contrário elogios, quando lhes felicitam por seu comportamento, eles se desmancham em abraços e tomam esta aprovação como sinal de benevolência e de amizade. Sem dúvida aqueles que estão sempre prontos a louvar ou aplaudir uma ação ou uma palavra isolada, seja séria ou agradável, e isto a propósito de qualquer coisa, essas pessoas, eu afirmo, só são prejudiciais no presente e de modo imediato. Mas quando por esses elogios penetramos no caráter, e quando as adulações têm como efeito atacar, ó justos céus, a própria moral, parecemo-nos então com esses escravos que roubam o trigo, não quando está na espiga, depois da colheita, mas quanto está destinado à semeadura. Pois são as disposições da alma, quer dizer a semente de nossos atos, o princípio e a fonte da vida, que os aduladores corrompem dando aos vícios os nomes de virtudes. Nas sedições e nas guerras, escreve Tucídides, "os homens chegaram, para qualificar os atos, a modificar arbitrariamente o sentido habitual das palavras. A audácia insensata passava por coragem e por dedicação generosa aos seus, a atenção prudente por poltronice dissimulada sob aparências honrosas, e a moderação por máscara de pusilanimidade; o homem de espírito, bastante aberto para compreender os aspectos de uma situação, era julgado inepto para a ação".

Na boca do adulador, e é isto que é preciso discernir se queremos nos defender, a prodigalidade se chama humor liberal, a covardia uma sábia preocupação, a instabilidade presteza, a mesquinharia gosto pela medida, a paixão amorosa, ternura e sensibilidade; ele designa como coragem o que é cólera e desdém, benevolência o que não passa de baixeza de coração. Como diz Platão em certo trecho, o apaixonado se torna o adulador daquilo que ele ama. O homem de nariz chato tem uma fisionomia marcante; o nariz aquilino é um apêndice de rei; as carnes dão um ar masculino; a tez pálida pertence aos filhos dos deuses; quanto a essa tez que recebe o epíteto de "cor de mel", não passa de pura invenção dos amantes que querem transformá-la e procuram dar um nome favorável à palidez do objeto amado. Ora, aquele que se deixa persuadir de que é belo quando é feio, e alto quando é baixo, se deixaria enganar apenas por uma breve ilusão, cujo prejuízo é leve e facilmente reparável. Mas que consequências terríveis não assumem geralmente aqueles elogios que, nos acostumando a olhar nossos vícios como virtudes, a nos comprazermos neles em vez de nos afligirmos, tira ao mal a vergonha que ele deve naturalmente inspirar. Esse tipo de elogio causou a ruína completa dos sicilianos que qualificaram a crueldade de Dionísio e de Faláris[107] de "ódio pelos maus" e de "equidade". Foi ainda ele que levou o Egito à perdição, ao designar como piedade e devoção o efeminamento mole de Ptolomeu, sua superstição, seus urros fanáticos, a estridência de suas danças e tamborins. Ele quase derruba e destrói, nos últimos séculos, esse império romano tão admirável ao designar com eufemismo o luxo, as dissipações, as festas grandiosas de Antônio, e considerá-las apenas jogos agradáveis e alegres, quando se tratava de excesso de poder e de fortuna. Quem senão ele ajustava à

---

107. Sobre Dionísio, ver nota 89. Faláris foi um tirano em Acragás, na Sicília, por volta do século VI a.C. Sua crueldade tornou-se lendária e, de acordo com esta tradição, assava suas vítimas dentro de um touro de bronze. O inventor desta máquina de tortura teria sido um certo Perilos que, de acordo com a tradição, se tornou também a primeira vítima de seu invento.

boca de Ptolomeu a correia e a flauta, quem senão ele construía para Nero uma cena trágica e o adornava com máscara e coturnos? Quem senão o elogio dos aduladores? Não é ele que conduz a maior parte dos soberanos a quem seduz fazendo-lhes crer à força de qualificativos louvadores que eles são Apolos quando arranham uma ária, Dionísio quando se embriagam, e Heracles quando praticam a luta?

O artifício dos aduladores para disfarçar os elogios.

13. É, portanto, exatamente quando o adulador nos incensa que é preciso desconfiar dele. Ele não o ignora e é bastante hábil para evitar as suspeitas; se ele se dirige a um homem opulento ou a um rústico coberto com um casaco de peles, é todo zombaria como Soutias cobrindo Bias[108] de chistes e insultando sem truques sua estupidez sob o mando dos elogios:

"Bebeste bem mais do que o rei Alexandre"

e

"Ah! Rio pensando no golpe do Cipriota".[109]
Ele os coloca na boca dos outros.

Mas quando ele tem de lidar com pessoas mais finas, que sabem se defender e vigiam o lugar e o terreno, ele não faz nenhum elogio frontal, mas irá introduzi-los por meio de longos desvios, aproximando-se de suas vítimas graças a um cerco imperceptível, como se faz para aprisionar um animal indócil, tocando-o com a ponta dos dedos. Às vezes, à maneira dos oradores, ele emprega a prosopopeia e põe vosso elogio na boca de um outro, informando com o maior prazer como encontrou estrangeiros ou velhos respeitáveis que, cheios de admiração por vosso mérito, diziam o melhor a vosso respeito. Às vezes, fingindo relatar a vosso propósito uma leve calúnia que ele próprio terá inventado, atribuindo-a a um terceiro, indaga com solicitude para saber em que época, em que lugar vós teríeis cometido um tal

---

108. Personagem da comédia *O adulador,* de Menandro.
109. Este verso e o anterior fazem parte de *O adulador,* de Menandro.

ato. E, após um desmentido que ele já esperava de antemão, aproveita a ocasião para vos envolver nas redes de seu elogio. "Eu fiquei com efeito bastante espantado – diz ele –, ao saber que tinhas falado mal de um amigo, tu que jamais falastes sequer de teus inimigos; ou que tivesses desejado apropriar-te da riqueza de um outro, tu que és tão largamente pródigo com a tua!"

Ele censura as virtudes que não são as daqueles a quem adula.

14. Outros aduladores imitam os pintores e ressaltam os efeitos de luz de um quadro justapondo sombras carregadas e cores fortes; ao criticar, ao estigmatizar, rebaixando e ridicularizando as virtudes contrárias, eles conseguem, sem se trair, celebrar e fomentar secretamente os vícios daqueles a quem adulam. Junto aos depravados, eles censuram a sabedoria como um sinal de rusticidade; diante de homens cúpidos e sem escrúpulos, que enriqueceram por meios condenáveis e criminosos, eles qualificam de pusilânime e de impotente o homem moderado e contente com sua posição. Se estão em companhia de seres indolentes, desocupados, "que abandonam o coração da cidade", eles não se envergonham de definir a administração como uma ingerência fastidiosa e infrutífera nos negócios das pessoas e de qualificar a ambição de miragem estéril. Acrescentemos que, para adular o orador, despreza-se violentamente o filósofo, e que em companhia das mulheres dissolutas dizem sobre as mulheres virtuosas, exclusivamente dedicadas a seus esposos, que elas têm a alma provinciana e que são insensíveis a Afrodite. Mas o cúmulo da duplicidade é que os aduladores não poupam a si mesmos, e que ao exemplo desses lutadores que se abaixam para fazer com que seus adversários caiam, entregam-se discretamente à condenação de seus próprios defeitos para elogiar sua vítima: "No mar, eu sou mais covarde que o último dos escravos; diante das provas, eu renuncio; se me ofendem, fico furioso", diz o adulador, que se apressa em acrescentar: "Ele não se espanta com nada, nada o atemoriza, é um homem à parte, que suporta tudo com doçura, tudo com equanimidade." Quando se trata de um homem que tem uma alta ideia de sua profunda sabedoria, que quer passar por firme e austero, e que, afetando uma retidão inquebrantável, diga a todo propósito:

> "No elogio e na condenação, evitai todo excesso,
> Descendente de Tideu..."[110]

não será por este viés que nossa raposa-mestre irá atacar. Ele irá mudar de tática diante de tal homem: é sobre seus próprios negócios que ele vem, diz ele à sua presa, pedir conselho, dirigindo-se a um espírito cujo julgamento é o mais esclarecido; sem dúvida possui outros amigos a quem está ligado; mas é absolutamente necessário que se dirija a ele, ainda que corra o risco de estar a importuná-lo. Então acrescenta: "onde se pode encontrar um auxílio quando se tem necessidade de um conselho? Em quem depositar sua confiança?" Em seguida, depois que o outro deu sua resposta, ele se maravilha, sem nada examinar, proclamando que se trata de um oráculo e não apenas de um conselho. Se observou que nosso homem se atribui alguns méritos literários, ele lhe envia uma de suas composições, suplicando que a leia e corrija. Os cortesãos de Mitídrates, ao ver que ele amava a medicina, lhe apresentavam seus membros para que ele os amputasse ou cauterizasse. Trata-se de uma adulação que residia na atitude, não na palavra, pois aos olhos do monarca a confiança que testemunhavam prestava homenagem à sua habilidade.

> "Como são variadas as formas do divino!"[111]

Esta categoria de elogios que não se confessam requer precauções mais delicadas, e só podemos desmascará-las eficazmente ao dar deliberadamente ao adulador conselhos e recomendações absurdas, e ao lhe propormos correções ridículas. Se ele não faz nenhuma objeção, aprova tudo, aquiesce a tudo e a cada proposição exclama: "Muito bem! Perfeito!", nós o reconheceremos facilmente:

> "Pois fingindo querer conhecer a palavra de ordem
> Ele pensa, no fundo, em outro interesse";

Já que deseja exclusivamente elogiar o outro e exacerbar sua vaidade.

---

110. Verso da *Ilíada*.
111. Verso em *Alcestes*, de Eurípides.

Elogio mudo

15. Mais uma coisa ainda: já se disse várias vezes que a pintura era uma poesia muda. De igual maneira, há certos elogios que recorrem a uma adulação muda. Pois assim como os caçadores enganam mais eficazmente a caça ao parecer que estão menos ocupados em caçá-la do que em seguir seu caminho, os aduladores nos tocam mais vivamente ainda quando fingem não estar elogiando, mas fazendo outra coisa. Ceder seu leito à mesa, ou seu assento a um recém-chegado, interromper-se quando falamos no conselho ou no templo para dar lugar a um homem rico desejoso de falar, e lhe ceder a tribuna e a palavra, é mostrar por silêncio, bem mais energicamente que por todas as declarações do mundo, que alta opinião temos de sua proficiência e de sua capacidade. Assim é que vemos os aduladores ocuparem os primeiros lugares, nas assembleias e nos teatros, não porque se estimem dignos de ocupá-los, mas com o desígnio de fazer sua corte aos ricos levantando-se e cedendo seus lugares. Nos conselhos e nos tribunais, eles tomam primeiro a palavra, depois se retiram, como se estivessem na presença de oradores mais autorizados; e quando seu contraditor tem pouco crédito, fortuna ou renome, eles se colocam sem dificuldades do lado da opinião contrária.

A derrota voluntária de suas próprias opiniões: o adulador se inclina diante da riqueza e do poder.

Eis por conseguinte a melhor ocasião de desmascarar este gênero de concessões e deferências simuladas que seus servidores diretos atribuem não à experiência, à virtude ou à idade, mas à riqueza e ao crédito. Megabiso um dia ao querer falar, no ateliê do pintor Apeles,[112] de desenho e do jogo das sombras, ouviu a seguinte réplica: "Vês estes rapazes que amassam a terra ocre de Melos? Enquanto guardavas silêncio, eles te consideraram com atenção e admiraram tua púrpura e tuas joias de ouro. Mas como falas do que tu não conheces, agora

---

112. Apeles, o maior pintor da Antiguidade, nasceu em Colofon, na Iônia, na primeira metade do século VI a.C. O contexto nos faz entender que Megabiso é um homem rico.

zombam de ti". A Creso que, numa conversa, perguntava a Sólon[113] a respeito da felicidade, este último citou entre os exemplos de felicidade superior, um obscuro cidadão chamado Tellos ao lado de Cléobis e Biton.[114] Mas os aduladores, não contentes em celebrar a felicidade e a fortuna dos reis, dos ricos e dos notáveis, colocam-nos acima do restante dos homens por sua inteligência, sua habilidade e suas virtudes em todos os gêneros.

16. E, no entanto, alguns ainda resmungam diante das teorias dos estoicos que dizem que o sábio une à riqueza a beleza, a nobreza e a soberania. Mas para os aduladores, a partir do momento em que um homem é rico, eles o proclamam ao mesmo tempo orador, poeta e, se ele também o desejar, pintor, flautista, corredor ágil, atleta vigoroso; eles se deixarão deliberadamente ser derrubados por ele na luta ou ceder-lhes a dianteira na corrida, como Crison de Imera ao correr contra Alexandre; mas o rei, ao percebê-lo, mostrou sua indignação. A única coisa, dizia Carneades,[115] que os filhos dos reis e dos ricos aprendem convenientemente é como montar a cavalo, e mais nada; pois, ele afirma, se ao longo de seu treinamento o mestre adula-os cobrindo-os de elogios, e seus adversários no combate se deixam vencer, o cavalo, incapaz de distinguir um fulano qualquer de um notável ou um rico de um pobre, e longe de se embaraçar com isto, derruba qualquer um que não saiba montar nele. Diante de tanta estupidez Bíon[116] afirmava que "se pudéssemos tornar um campo fértil e produtivo à custa de elogios, melhor seria, evidentemente, agir desta maneira do que se esforçar em cultivá-lo. Também não seria inadequado elogiar um homem, se os cumprimentos fossem úteis

---

113. Muitos pesquisadores chamam a atenção para o fato de que este encontro seria impossível cronologicamente. Sólon, o famoso legislador ateniense, viveu aproximadamente de 640 a 558 a.C. Creso, lendário último rei da Lídia, teria vivido no período que vai aproximadamente de 560 a 536 a.C. A história deste encontro foi contada por Heródoto. Plutarco escreveu também uma *Vida de Sólon*.
114. Refere-se a outra história contada por Heródoto e atribuída por este a Sólon. Cléobis e Biton foram irmãos que morreram juntos ao dormir no templo de Hera. A morte seria a graça máxima possível a um mortal, segundo a deusa, que atendeu assim a um pedido da mãe dos dois jovens.
115. Filósofo do século II.
116. Filósofo da escola cínica. Foi discípulo de Platão, mas depois seguiu os ensinamentos de Crates de Tebas.

para aqueles que os esbanjam e se o reconhecimento deste último não fosse infrutífero". Mas um campo não corre o risco de deteriorar-se sob o efeito dos elogios, enquanto elogios mentirosos e imerecidos podem cegar até a loucura e perder aquele que se torna presa deles.

A pseudofranqueza do adulador é uma arma perigosa.

17. Já basta o que dissemos a esse respeito; para continuar nesse diapasão, examinemos agora a franqueza da linguagem. Quando Patróclo resolveu usar as armas que pertenciam a Aquiles e conduziu seus cavaleiros ao combate, ele se absteve apenas de tocar na lança do Peleu e renunciou a servir-se dela; da mesma forma seria necessário que o adulador, ao fazer seus preparativos para disfarçar-se, com as insígnias e atributos da amizade, se abstivesse de tocar numa única coisa que ele evitasse a todo custo imitar; quero falar do linguajar franco, esta arma distintiva da amizade, esta:

"Arma poderosa, forte, e sólida entre as demais".[117]

Ora já que, no temor de serem traídos no meio dos risos, do vinho, dos sarcasmos, dos gracejos, essas pessoas cuidam de elevar sua manobra até a afetação de uma severidade superciliosa, exercem sua adulação com um ar tristonho, e misturam a suas adulações conselhos e reprimendas. Sondemos mais uma vez, sem omiti-las, as características dessa tática. Vemos numa comédia de Menandro um falso Heracles entrar em cena brandindo uma maça que, longe de ser compacta e sólida, parece um brinquedo artificial, inconsistente e vazio. De igual maneira, a franqueza do adulador, se resolvemos pô-lo à prova, acaba por se revelar mole, desprovida de peso e de energia. Ela produz o mesmo efeito que a almofada para uso das mulheres, que parece sustentar a cabeça e opor alguma resistência, mas logo cede e se deixa afundar: ela eleva, ela infla, de maneira que ao fim de sua queda chega ao nada, fazendo desabar o hóspede que nela repousava com confiança.

A verdadeira franqueza, a que caracteriza a amizade, destina-se a corrigir os defeitos; e a dor salutar e conservadora que ela causa se assemelha

---

117. Verso da *Ilíada*, de Homero.

aos efeitos do mel que, embora doce e aproveitável, morde as carnes ulceradas e tem a virtude de purificá-las. Ela será para nós objeto de uma menção especial.

A fraqueza estigmatiza na maior parte das vezes os defeitos secundários.

O adulador ao contrário afeta desenvoltamente o azedume, a acrimônia e a inflexibilidade em suas relações com o outro. Ele é intratável com seus criados domésticos, ardoroso em relevar os erros de seus pais e de seus próximos, e não está animado em face dos estranhos por nenhuma admiração, por nenhum respeito, mas só manifesta desprezo; refratário à misericórdia, caluniador, ele busca exclusivamente irritar os outros até a cólera. Ele está à procura de uma reputação de inimigo do vício. Afirma que "só a contragosto ele abandonaria tal franqueza"; ele jamais disse algo, ou fez algo, por complacência. E no entanto, apesar disso, irá fingir ignorar erros reais, erros capitais, como se nada soubesse deles. Mas mostrará toda sua fúria quando se tratar de pecadilhos menores e exteriores à toda prova. Vê um vaso ou um móvel fora de lugar, um ambiente mal mobiliado, negligência no penteado ou na indumentária, um cão e um cavalo mal cuidados? É por meio de tais objetos que ele irá demonstrar, com violência e veemência, seu pretenso zelo. Mas pais desprezados, filhos abandonados, uma esposa tratada indignamente, os familiares desdenhados, um patrimônio dilapidado não o interessam. Ele permanece mudo e intimidado. É como um professor de ginástica que deixa o aprendiz de atleta amolecer com vinho e com a depravação, mas faz objeção ao emprego de uma garrafinha ou de uma almofada; ou como um professor de gramática que reclamasse de um menino por causa da tabuinha ou do estilete e deixasse de lado os barbarismos e solecismos. Pois o adulador, diante de um orador lamentável e risível, é homem para não dar importância ao conteúdo do discurso, mas questionar o uso da voz e repreendê-lo acerbamente sob pretexto que ele "estraga sua laringe tomando gelo". Se foi encarregado de ler uma obra deplorável, ele se queixa de que o papel é grosso demais e chama o copista de rabiscador negligente. Assim é que os cortesãos de Ptolomeu, vendo seu gosto pelas letras, discutiam com ele sobre uma questão de vocabulário, um hemistíquio ou um assunto de história, e prolongavam a conversa até o meio da noite, mas no que dizia respeito à sua crueldade, à sua arrogância, seu tamborim e suas festas iniciáticas, nem um só deles ousava repreendê-lo.[118] De forma semelhante a um cirurgião que, tendo diante de si um doente sofrendo de abcesso e de fístula, empregasse sua lanceta para cortar-lhe o cabelo e as unhas, o adulador só usa a franqueza quando ele não tem medo de afligir ou desagradar.

O homem de fala franca também pode cair no elogio disfarçado.

18. Outros, mais hábeis que os precedentes, procuram tornar agradável a franqueza e as reprimendas. Assim foi que Agis vendo Alexandre dar a um bufão presentes consideráveis, exclamou, num movimento de despeito e de descontentamento: "Que indignidade absurda!" O rei virou-se para ele com cólera e lhe perguntou o que ele tinha acabado de dizer: "Admito, respondeu Agis,[119] que não posso ver sem raiva e sem indignação que vós todos, filhos de Zeus, encontrais prazer em escutar aqueles que vos adulam e vos divertem; mas Heracles se deliciava com não sei quais Cêrcopes;[120] Baco com os Silenos; e são pessoas do mesmo tipo que gozam de favor perto de vós". Tibério indo ao senado certo dia viu um de seus aduladores levantar-se: "Já que somos cidadãos livres – disse ele –, temos o direito de falar livremente, sem nenhuma reticência, sem nenhuma reserva daquilo que diz respeito aos interesses públicos". Este começo atraiu a atenção e o silêncio de todos os senadores e de Tibério, e ele prosseguiu: "César, ouve o assunto da queixa que temos todos contra ti, e da qual ninguém teve a coragem de te falar abertamente. Negligencias demasiadamente o cuidado com tua própria pessoa, comprometes tua saúde, cansas-te com preocupações e trabalhos por nossa causa, sem jamais descansar quer de dia, quer à noite". E como

---

118. Trata-se de Ptolomeu IV (ou Ptolemaios IV), pertencente à grande dinastia que reinou no Egito desde a morte de Alexandre, o Grande, até a época da conquista romana.
119. Refere-se ao poeta Agis, que fez parte da corte de Alexandre, o Grande.
120. Conforme a mitologia grega, os Cêrcopes pertenciam à raça dos homens-macacos. Há aqui uma alusão ao episódio em que eles tentaram roubar as armas de Heracles e este, acabou, como castigo, pendurando-os de cabeça para baixo em seu bordão.

continuasse a despejar uma série de propósito desse gênero, conta-se que o mestre da retórica Cassius Severus exclamou: "Eis aí uma franqueza que matará o seu homem!"

Ele condena o contrário dos erros verdadeiros.

19. Estas são adulações de consequência irrelevante; mas as que vou enunciar são perigosas e fatais se se dirigem a homens pouco habituados a refletir: é quando são acusados de paixões e defeitos contrários aos que têm. Por exemplo, Himerius, o adulador, sabendo perfeitamente que um rico ateniense era de uma avareza sórdida, condenava-o por sua prodigalidade e despreocupação, indo até o ponto de dizer-lhe: "Um dia ireis morrer miseravelmente de fome com vossos filhos". E, ao contrário, ao que é dissipador e gastador, eles irão dirigir reprovações sobre a mesquinharia e sovinice, como Petrônio fez com Nero. Se os príncipes se põem a agir contra seus súditos com rigor e crueldade, os aduladores farão invectivas para que renunciem a esta clemência excessiva, a esta humanidade que está fora de propósito e nada tem de proveitoso. Assim irá proceder aquele que, para adular um idiota, um poltrão, um incapaz, finge hesitar e ter medo dele como se estivesse diante de um homem terrível e decidido a empreender qualquer ação. Que um invejoso gostando sempre de ser maledicente e de acusar se deixe levar pelo acaso a elogiar um personagem ilustre, o adulador chamará o panegirista à parte e combaterá aquilo que irá chamar de sua doença. "Vós elogiais, ele dirá, pessoas que não merecem: pois, afinal de contas, quem é este homem, o que ele fez, o que disse de tão brilhante?" Mas é principalmente quando o amor está em jogo que o adulador desfere seus maiores golpes e quer inflamar aqueles a quem adula. Se ele os vê em conflito com seus irmãos, cheios de desprezo por seus pais, negligente com sua mulher, ele evitará certamente lhes dirigir advertências ou reprimendas: irá ao contrário excitar a cólera deles: "Tu não sabes te impor; é tua culpa; por isto te acusam de obsequiosidade e de humildade". Mas quando se trata de um cortesão ou de uma mulher casada da qual se está enamorado, e que se sente um prurido de cólera ou de despeito, imediatamente o adulador se apresenta com sua franqueza que afeta calor. Ele atiça um fogo já demasiado

ardente, analisa o enamorado, acusa-o de não estar apaixonado e de dar provas numerosas de uma insensibilidade desoladora:

"Ó coração por demais esquecido de enlaces tão ternos".[121]

Foi desta maneira que os amigos de Antônio, vendo que ele estava louco pela egípcia e que ardia por ela, persuadiram-no de que era ela que estava apaixonada por ele, e lhe reprovaram o que chamaram de sua frieza e desdém. "Eis aí uma mulher – disseram eles –, que abandona um reino tão poderoso e uma moradia tão deliciosa, que altera sua beleza para te seguir até os campos, que aceita o papel e as maneiras de uma concubina,

"Guardas em teu corações pensamentos inexoráveis".[122]

e tu zombas de suas tristezas." Ora, Antônio, lisonjeado porque o acusavam de injustiça, não via que parecendo que queriam corrigi-lo terminavam por pervertê-lo. Uma tal fraqueza pode ser comparada às mordidas das prostitutas, que despertam e ativam as sensações voluptuosas, por meio daquilo que se acreditaria ser doloroso. Assim como o vinho puro, remédio aliás soberano, contra a cicuta, torna-se, ao ser misturado a ela, ineficaz contra a violência do veneno, porque este é transportado imediatamente até o coração pelo calor que se desenvolve, assim também esses homens perversos, sabendo que a franqueza é um recurso poderoso contra a adulação, adulam precisamente por meio da franqueza. Também Bias[123] não deu uma resposta satisfatória a alguém que lhe perguntava qual de todas as feras era a mais destruidora: "Entre os animais ferozes – ele disse –, é o tirano; entre os animais enjaulados, é o adulador". Teria sido mais verdadeiro dizer que há aduladores enjaulados que apenas querem partilhar nossos banhos e nossa mesa; mas que aquele que estende até os quartos, até o gineceu, seus tentáculos, sua indiscrição, suas calúnias, sua malícia, esse aí é suficientemente selvagem, feroz, intratável.

---

121. Verso atribuído a uma das peças perdidas de Ésquilo.
122. Trata-se de Circe dirigindo-se a Ulisses, na *Odisseia*.
123. Um dos sete sábios, isto é, estadistas, legisladores e filósofos do período compreendido entre 620 e 550 a.C.

O único meio de lutar contra o adulador é tomar consciência de nossos próprios defeitos.

20. Só existe, eis o que nos parece evidente, uma única maneira de defender-se, é tomar consciência e jamais esquecer que nossa alma é o sítio de duas faculdades: uma está dotada de sinceridade, de beleza e sabedoria, a outra, bastante irrazoável, é um teatro de mentiras e de paixões violentas. Ora, um verdadeiro amigo aconselha e advoga a favor da melhor parte, a exemplo do médico que se propõe conservar e fortalecer a saúde, enquanto o adulador, abraçando a causa do irracional e da cupidez, elogia-a, excita-a, e por meio da atração das volúpias que se encarrega de apresentar, acaba seduzindo-a e levando-a a se subtrair aos poderes da razão. Há alimentos que, sem aumentar a massa do sangue e o volume da respiração, sem dar vigor à medula e aos nervos, inflamam os órgãos genitais, amolecem e estragam a carne. De igual maneira o adulador, cujos discursos são incapazes de consolidar em nós a sabedoria e a razão, só sabe nos familiarizar com as volúpias carnais, fazer nascer ardores irrazoáveis, irritar o ciúme, suscitar a explosão insuportável e vazia do orgulho, acompanhar nossa aflição com suas lágrimas, ou, por meio de calúnias e de pressentimentos eternos, encher de azedume, de pequenez e de desconfiança uma alma conduzida à malevolência, à baixeza e à má-fé. Aqui está uma manobra pela qual um espírito observador poderá facilmente reconhecê-lo. Pois ele sabe que o adulador fica à espreita por assim dizer do primeiro germe de nossas paixões com o propósito de se insinuar, e sua presença indefectível parece-se à do tumor que cresce sobre as ulcerações secretas e sobre as inflamações da alma. "Estais colérico? Castigai – ele vos dirá. Desejas algum objeto? Compra-o. Tens medo? Foge. Tens suspeita? Acredita." Talvez seja difícil surpreendê-lo em meio a esses arrebatamentos cuja violência e importância nos deixam surdos à voz da razão; mas como ele é sempre o mesmo, poderá ser apanhado em vários outros momentos. Se, por exemplo, temendo os efeitos da embriaguez ou de uma boa refeição, hesitais entre tomar um banho ou comer, um amigo vos deterá e irá vos aconselhar à abstinência e à reserva; o adulador ao contrário se encarregará ele mesmo de vos conduzir ao banho e fará com que vos sirvam novos pratos, aconselhando-vos a evitar a extenuação ao recorrer à dieta. Se ele vos surpreender hesitando por moleza a empreender uma viagem ou a acompanhar um negócio, ele dirá que não precisais de pressa, que é preferível adiar o empreendimento ou encarregar um outro de fazê-lo. Prometeis emprestar ou dar dinheiro a um de vossos amigos, e agastado pelo compromisso assumido, vos detém a vergonha de não cumprir com vossa palavra? O adulador fará com que a balança penda para o lado mau, pesará vossas resoluções no sentido de vossa bolsa, banirá o pudor que vos inibe expondo as grandes despesas que ireis fazer, e o risco de emprestar a todo mundo, levando-vos a ser econômico. Em consequência, se temos evidentemente consciência de nossas cobiças, de nossas indelicadezas e de nossas covardias, será impossível que deixemos de desmascarar um adulador; ele aspira a ser o apologista infatigável de nossas paixões e a argumentação que ele desenvolve justifica sua franqueza. Mas já dissemos o suficiente sobre esta questão.

Os serviços prestados: o adulador pode ser reconhecido por causa de sua devoção obsequiosa.

21. Passemos agora às providências e aos bons ofícios. Aí, mais uma vez, o adulador empenha-se em perturbar e dissimular a diferença que o separa do amigo, empregando para esse fim uma solicitude infatigável. A conduta do amigo é, segundo Eurípides, simples como uma palavra verdadeira, sem desvio e sem disfarce; mas, em termos ontológicos, a do adulador:

"Sabe remediar pela arte sua própria fraqueza"[124]

por meio de numerosos remédios e, justos céus, excepcionais. Assim é que um amigo que podemos encontrar na rua passa algumas vezes sem dizer uma só palavra, ou sem que lhe dirijais a palavra; ele se contenta de dar e receber, por intermédio de um olhar e de um sorriso agradável, o testemunho de uma boa vontade recíproca. Quanto

---
124. Verso conferido a Eurípides.

ao adulador, este corre com solicitude e vos estende a mão de longe; se vós o percebeis e saudais em primeiro lugar, ele invoca, para desculpar-se por não vos ter visto, testemunhas e juramentos. Acontece o mesmo com os negócios: os amigos negligenciam em geral as questões acessórias, porque não querem imprimir à sua conduta uma exatidão pueril e indiscreta, nem se oferecer dispersivamente para todos os tipos de serviços a serem prestados. Nosso homem, ao contrário, faz ato de presença, é assíduo, solícito, infatigável, e não cede a ninguém o lugar nem a ocasião de vos prestar ajuda. Ele quer ser um *factótum* e se não o convocamos, se mostra melindrado. Mais ainda, seu desencorajamento e seus protestos ultrapassam todos os limites.

Engajamentos supérfluos.

22. Diante de todos esses traços ostensivos, os espíritos sensatos podem reconhecer, não uma amizade verdadeira e sincera, mas a solicitude afetada de uma cortesã ou de um mercenário de conduta hipócrita. No entanto, é sobretudo por meio das ofertas de serviços que a diferença se torna nítida. Já fizemos essa observação um pouco antes. Eis aqui a maneira pela qual um amigo faz uma promessa:

"Se eu puder, em primeiro lugar, se for possível, em seguida".

Mas o adulador irá dizer:

"Tudo que quiseres: basta que o digas".[125]

É justamente o tipo de personagem que os poetas cômicos mostram em cena:

"Nicômaco, ordena que essa tola convencida
Venha até aqui tatear o junco de minha chibata.
Eu faço votos de que na hora (e creio nisto de coração)
Eu possa torná-la mais leve e mais doce que uma esponja".[126]

---

125. Este verso e o anterior fazem parte da *Odisseia*.
126. Versos cujo autor não foi identificado pelos pesquisadores.

Aquiescência servil

Isto não é tudo: um amigo não irá se associar a um empreendimento, a menos que, consultado de antemão, ele tenha examinado o negócio e contribuído para orientá-lo no sentido do dever e da utilidade. Mas o adulador, mesmo quando lhe permitem examinar o caso e discuti-lo, só pensa em se mostrar receptivo e em nos agradar, e, no temor de que suspeitem de sua hesitação ou retração, ele se torna tão disposto, tão ardente quanto vós, no sentido de ver a realização de vossos desejos. Pois há poucos reis ou ricos que confessem:

"Se eu pudesse encontrar um amigo, um mendigo,
O pior dos mendigos, que, cheio de dedicação,
Ultrapasse os limites de um medo indizível
E me falasse sem temor do fundo de seu coração".

Ao contrário dos trágicos, eles querem ter um coro de amigos que cantem com eles e um auditório que os aplauda. Assim a Mérope da tragédia dá este sábio conselho:

"Escolhe para amigos estes homens cheios de honra
Que não procuram jamais acariciar os vícios;
Mas bane de tua corte todo adulador vil e covarde
Que, querendo te agradar, incensa teus caprichos".[127]

Mas é justamente o contrário que se faz em geral: desembaraça-nos daqueles que não fazem nenhuma concessão em seu discurso e vos contradizem para defender vossos interesses, enquanto para esses vis impostores que só sabem agradar com adulações rasteiras, abrimos a porta e os recebemos não somente sob o nosso teto, mas ainda confidenciamos a eles nossas paixões e negócios mais secretos. Entres esses confidentes, aquele que ainda é neófito estima que ele não tem o direito e que é completamente indigno de dar seu conselho sobre assuntos tão importantes; no máximo pode ser um ajudante ou um servidor. Mas o mais astuto se empenha em partilhar vossa irresolução, em levantar

---

127. Esta estrofe e a anterior são conferidas a Eurípides.

as sobrancelhas, balançar a cabeça, guardando silêncio. Mas basta que aquele que o consulta anuncie a sua opinião, para que ele diga: "Por Heracles – ele exclama –, parece incrível, mas eu já ia dizer a mesma coisa". Os matemáticos afirmam que as linhas, por causa de sua abstração e de sua imaterialidade, não podem se curvar, se estender nem se mover por conta própria, e se dobram ao traçado, ao prolongamento e ao movimento dos corpos dos quais marcam as arestas. O mesmo acontece com o adulador: sempre o surpreenderás a seguir o fio de teus discursos, de teus sentimentos, de tuas percepções e, na verdade, até mesmo, de tuas cóleras. Assim, em todos estes pontos, não podemos confiar numa amizade verdadeira, e mais ainda na maneira pela qual ele prestar seus serviços.

Sobre a maneira de prestar um serviço

A dedicação de um amigo, como um ser vivo, compreende qualidades intrínsecas, mas ele rejeita sobretudo a ostentação e o brilho: e a exemplo do médico que em geral cura certos doentes sem que eles o saibam, o amigo nos presta serviços por meio de uma intervenção ou de uma transação prudentemente executada e que não é levada ao conhecimento do beneficiário. Esse era o caráter de Arcesílaos. Entre vários exemplos, eu citarei este: tendo encontrado um dia Apele de Chio na mais absoluta e completa indigência, ele foi prontamente revê-lo com vinte dracmas, e, sentando-se à sua cabeceira, lhe disse: "Eu só vejo aqui os elementos de Empédocles: 'O fogo, a terra, a água, o éter puro e leve' e que estás desconfortável". Enquanto isto, levantou o travesseiro e escondeu ali a bolsa que trouxera. E quando a velha criada, ao encontrá-la, lhe comunicou, Apelo disse sorrindo: "É um ato característico de Arcesílaos". E podemos acreditar que "são à semelhança de seus pais", os filhos que a filosofia faz nascer. Isto pôde ser verificado na pessoa de Lacides,[128] um discípulo de Arcesílaos. Ele foi assistir com outros amigos à instrução do processo de Cefisócrates: o acusador pediu que este lhe entregasse seu anel; o acusado deixou-o cair no chão e Lacides, ao percebê-lo, colocou o pé sobre o que constituía a única peça de acusação e escondeu-a. Ao ser absolvido, Cefisócrates foi agradecer aos juízes: mas um deles, que tinha visto a manobra, aconselhou-o a ir agradecer a

---

128. Foi discípulo e sucessor de Arcesílaos. Fundou a Academia Nova.

seu amigo e lhe contou o ato de generosidade que Lacides mantivera em segredo. É assim, acredito, que os deuses, cuja natureza é de só procurar nos benefícios o prazer de prestar um serviço, fazem bem aos homens sem que eles o saibam, gostam de agradá-los e satisfazê-los pelo prazer que extraem desse ato.

Em sua conduta, o adulador nada faz de justo, de verdadeiro, de simples, de liberal: ele está sempre gritando, se agitando, simulando e multiplicando os sinais de pura aparência com os quais ostenta uma dedicação útil, laboriosa e solícita. Ele se parece com essas pinturas excessivamente elaboradas que pretendem dar a ilusão de vida com tintas gritantes, ênfases nas dobras, nas rugas e nos traços angulosos, pois ele também se apressa em contar os pormenores de suas providências, em detalhar as suas ações, preocupações, os ódios que atraiu sobre si mesmo, as inúmeras dificuldades e embaraços que teve de superar, a tal ponto que nos vem a tentação de lhe dizer: "O milagre não merecia tanta vela!" Pois um benefício apregoado suscita o desgaste; ele perde todo o seu valor e se torna pesado e intolerável. Ora, os do adulador, no momento em que são prestados, têm o ar de nos serem lançados no rosto e nos fazem ruborizar. Ao contrário, um amigo, constrangido a contar o que fez, fala sem desvios e expõe a coisa de maneira simples, sem falar de si mesmo. Os lacedemônios enviaram para os esmirniotas a provisão de trigo que eles tinham solicitado; como estes últimos manifestassem sua surpresa com tal generosidade, seus benfeitores lhes deram a seguinte resposta: "Não fizemos nada de extraordinário; pois, para recolher essa provisão, ordenamos apenas por meio de um decreto que os homens e os animais se abstivessem de alimento durante um dia". Esta forma generosa de prestar serviço é a mais agradável para aqueles a quem se destina, pois faz crer que custou pouco.

Os serviços prestados pelo adulador não levam em conta a moral.

23. De resto, não é somente pela ostentação odiosa de seus serviços ou pela prodigalidade de suas ofertas que podemos reconhecer o adulador, mas antes de tudo pelo uso, bom ou mau, que se faz delas, e pelo fato de sua finalidade estar subordinada à utilidade ou ao prazer. Pois o amigo não deverá seguir o conselho de Górgias segundo o qual é válido não exigir apenas de seu amigo serviços honestos e ajudá-lo, mesmo mediante serviços desonestos, pois o que ele deseja é

"Sustentar nossas virtudes, sem apoiar nossos vícios".[129]

Ao contrário é preciso afastar seu amigo de tudo quanto é indecente. E se pudermos persuadi-lo, oporemos a ele esta fórmula admirável de Focíon[130] a Antípatros:[131] "Não poderias ter em mim um amigo e um adulador", isto é, um amigo e um inimigo. Deve-se com efeito ajudar seu amigo em seus empreendimentos, mas não em seus crimes: devemos ser seu conselheiro e não seu comparsa, seu fiador, mas não seu compadre, um companheiro de infortúnio, sim por Zeus, mas jamais o cúmplice de seus erros. Já que não convém partilhar com seus amigos a confidência de seus crimes, como podemos ajudá-los a cometê-los e tornarmo-nos em consequência seu companheiro de infâmia? Os lacedemônios, vencidos por Antípatros e negociando a cessação das hostilidades, dispunham-se a aceitar as medidas de represália mais severas possíveis desde que elas nada tivessem de contrário à honra. Este é o verdadeiro amigo. É preciso, para que ele vos ajude, gastar dinheiro, desafiar a desgraça e o perigo? Ele demonstra um zelo total e jamais alega qualquer pretexto para recusar. O que exigimos dele é desonesto? Ele abandona o caso e se exime de tomar parte nele.

Ao contrário, a adulação, quando se trata de serviços penosos e perigosos, se mostra recalcitrante e se, para testá-la, tu a fazes soar, ela emite, esquivando-se por trás de um pretexto, um som entrecortado e de mau augúrio. Mas trata-se de serviços imorais, baixos, desonrosos? Podes contar com seus serviços sem temor de abusar dela. Pisa sobre ela: esse tratamento não irá lhe parecer nem duro nem ofensivo. Vês o macaco? Ele não sabe defender a casa como o cão, nem trabalhar a terra como o boi: mas ele suporta os gracejos, os insultos, e tolera o papel de brin-

---

129. Versos conferidos a Eurípides.
130. Focíon foi general e estadista ateniense. Viveu durante a época de Filipe da Macedônia e Alexandre, o Grande. Plutarco escreveu uma *Vida de Focíon*.
131. Focíon foi general de Alexandre, o Grande, que o designou governador da Macedônia durante a expedição militar ao Oriente.

quedo do qual podemos ridicularizar e zombar. O adulador parece-se com ele: incapacidade de pôr a serviço dos outros sua eloquência, sua bolsa ou sua pessoa, inaptidão para qualquer trabalho e para qualquer compromisso sério, fidelidade de alcoviteiro em caso de paixão secreta, presteza no resgate de uma aventura ocasional, pontualidade para tomar providências para um banquete, diligência para ordenar uma refeição, cuidados delicados em relação às amantes, inflexibilidade sem vergonha se se recebe a ordem para expulsar vossa mulher legítima ou tratar rudemente vossos pais. Aqui, não há nenhum obstáculo que conte diante de nosso homem: o que quisermos lhe ordenar de infame e de vergonhoso, ele estará sempre pronto a fazê-lo para agradar aquele que ordena.

O adulador procura afastar os verdadeiros amigos.

24. Um exame das disposições do adulador diante de nossas relações mais íntimas será um meio infalível para reconhecer aquilo que o separa do amigo. Aos olhos deste último, com efeito, nada é mais doce que compartilhar com outros o sentimento de uma benevolência recíproca: de resto, ele não procura sem cessar nos tornar queridos e estimados por todos aqueles que nos conhecem? Persuadido de que entre amigos tudo é comum, é sobretudo a própria amizade que ele deseja tornar comum. Mas o falso amigo, este, amigo bastardo e pérfido, que não pode dissimular o mal que ele faz à amizade alterando-a como se faz com a moeda falsa, exerce contra seus semelhantes o ciúme que lhe é natural, e procura superá-los em gracejos e lábia. Ainda que fulano valha pouco mais do que ele, passa a temê-lo, assusta-se, não, por Zeus, "porque ele caminhará a pé ao lado do carro lídio",[132] mas porque ao ouro puro "ele só pode, segundo a frase de Simônides, opor o modesto chumbo". Portanto, quando o comparamos de fato com um amigo verdadeiro, sólido e de boa têmpera, podemos reconhecer o quanto ele é frívolo, falso e enganador, ele se deixa confundir e age como aquele pintor que, tendo feito um desenho muito ruim de galos, tinha encarregado seu escravo de deixar o quadro bem longe dos verdadeiros galos, nosso homem empenha-se em afastar os verdadeiros amigos e impedi-los

---

132. Verso conferido a Píndaro.

de aproximar-se de nós. Se não consegue êxito nessa empreitada, finge adulá-los, cortejá-los, extasiar-se com sua superioridade, enquanto às escondidas semeia contra eles calúnias que afia com seus discursos. E quando esses recursos baixos começam a envenenar a ferida, ainda que o efeito não corresponda à sua expectativa, o adulador guarda fielmente na memória o conselho de Médios. Este homem pertencia ao coro dos aduladores de Alexandre; ele tinha o cargo de regente, de supercorifeu, e conspirava contra as pessoas mais honestas da corte. Ordenava a seus subordinados que as atacassem e agredissem, com um grande estoque de maledicências, afirmando que quando a ferida fosse curada, restaria sempre a cicatriz. Foi por isto que o coração de Alexandre, minado por esses estigmas, ou mais exatamente por essa gangrena e seus tumores, fez perecer Calísteno, Parmênio e Filotas, e se entregou aos embustes de Agnon, Bagoas, Agesias, Demétrios, que o adoravam de joelhos, ornamentando-o e modelando-o como se fosse um ídolo bárbaro. Tal é o poder das complacências verbais, um poder ainda maior quando se endereça, evidentemente, a homens que creem ser os maiores! Pois alimentar sobre si mesmo as mais altas ideias e desejar que assim seja, é fornecer ao adulador ao mesmo tempo razões para ser acreditado e audácia. Quando se trata de terrenos, com efeito, os lugares mais altos são de acesso difícil aos empreendimentos hostis; em contrapartida, a elevação e o orgulho que o sucesso ou uma natureza dão à alma bem-dotada são, se falta o bom senso, uma maravilhosa via de acesso para a pequenez e para a baixeza.

Os perigos da filáucia

25. Assim é que recomendávamos no início desta conversa desenraizar de nosso coração o amor-próprio e a autossuficiência. Pois bem, vamos recomendá-lo agora de novo. Pois é nossa própria boa opinião sobre nós mesmos que, adulando-nos em primeiro lugar, nos torna vulneráveis à adulação exterior e nos sujeita a ela. Mas se, dóceis às injunções do deus e considerando o "conhece a ti mesmo" como o conhecimento mais essencial a ser adquirido, examinamos as mil falhas de nossa natureza, se refletimos sobre nossa educação e nossa instrução, em relação ao critério do bem, e se observamos a imperfeição e a confusão da mistura que fomentam, tanto em nossa conduta quanto em nossos pensamentos e sentimentos, então poderemos nos defender das armadilhas dos aduladores. Alexandre, para voltar mais uma vez a ele, dizia que sua inclinação para o sono e para o amor, estados que ora rebaixavam sua nobreza e que ora o expunham à paixão, fazia com que sentisse claramente que ele não era um deus, ainda que lhe dessem esse nome. Quanto a nós, considerando sem cessar nossas sempiternas torpezas, misérias, fracassos e faltas, nós nos veríamos apanhados por assim dizer em flagrante delito, e isto, não no caso onde um bom amigo nos cobrisse de elogios e de flores, mas se nos questionasse, falando com o coração aberto e nos criticasse, quando por Zeus, tivéssemos agido mal.

Sobre a franqueza dos verdadeiros amigos

Mas em geral há poucos homens que têm coragem de ser francos com seus amigos e que não procuram agradá-los. E entre estes eleitos, há menos ainda aqueles que saibam empregar adequadamente a franqueza, e não se limitam a críticas e sermões.

Sobre o tato

Pois com a franqueza pode acontecer como com certos remédios: ela aflige, atormenta inutilmente e opera com dor o que a adulação saberia tornar deleitável. Um louvor deslocado equivale a uma reprovação proferida fora de hora: todos os dois são prejudiciais. Eis aqui o motivo essencial que nos faz abrir o flanco aos aduladores e nos tornarmos sua presa: nós nos antecipamos a eles, como a água que jorra dos escarpamentos mais rudes e dos solos menos brandos para o atoleiro! Portanto, torna-se necessário que a própria matéria da conversa espontânea seja temperada pela maneira com que se conduz a ação e que se paute pelas instâncias da razão. Esta, aliás, elimina a intensidade demasiado viva que é o segredo da franqueza explosiva. Sem isto, melindrados e feridos pelos censores e pelos acusadores impertinentes, iríamos abrigar-nos à sombra dos aduladores e procurar refúgio num lugar onde a crítica é a coisa menos partilhada do mundo. Pois é pela virtude, meu caro Philopappos, que é preciso fugir dos vícios, e não pelos vícios contrários, como fazem estas pessoas que acreditam escapar à timidez pela imprudência, à rusticidade pelo gracejo, e afastar-se o máximo possível da moleza e da covardia ao se aproximar do desaforo e da arrogância. Alguns, para não serem supersticiosos, caem na impiedade; com medo de serem estúpidos, tornam-se velhacos; e por incapacidade em reformar seu caráter, inclinam-se no sentido oposto, como acontece com uma peça flexível de madeira. É uma maneira muito inconveniente de rejeitar a adulação ferir inutilmente e é característica de um homem grosseiro, estranho à benevolência, só poder escapar à baixeza e à servilidade de toda relação social por meio da aparência de um humor ríspido e desagradável. Dir-se-ia que se trata desse emancipado de comédia que pensa que dizer injúrias é fruir do direito de falar com franqueza.

Existe uma franqueza eficaz?

Se é vergonhoso tornar-se adulador procurando agradar, também não deixa de sê-lo se, para fugir da adulação, nos entregamos a uma franqueza imoderada, que se volta contra a amizade e a solicitude. Evitemos estes dois excessos, e que a franqueza, como toda outra qualquer qualidade, encontre seu ideal no equilíbrio justo. Esta é a exposição que, reclamando por si só sua sequência lógica, impõe visivelmente seu coroamento à minha dissertação.

Onde a franqueza expulsa o interesse

26. Como já constatamos que uma pletora de fatalidade incômoda caminha sobre os passos da franqueza, comecemos por eliminar o amor-próprio, vigiando com o máximo cuidado para não parecer que estamos respondendo de algum modo com reprovações às pancadas ou feridas que nos atingem profundamente. Pois quando se fala por si mesmo, parece que se age, não com benevolência, mas com cólera, e que manifestamos mais uma reprovação do que produzimos uma lição moral. A franqueza implica a amizade e a nobreza, mas as reprovações vêm do amor-próprio e da estreiteza do espírito.

Desta maneira concebemos sentimentos de respeito e admiração por homens que falam com franqueza, enquanto aqueles que insultam excitam o desprezo e a indignação. Por exemplo, Agamenon que ficou irritado com a fala franca de Aquiles, embora ele pareça bastante moderado, tolerou que Ulisses o atacasse duramente e lhe dissesse:

"Autor de todos os nossos males, que comandas
A outros combatentes sem força e sem virtude!"

Ele mostra indulgência e paciência, contido como foi por estas palavras salutares e sensatas. Pois sabia que Ulisses não tinha nenhum motivo pessoal para se encolerizar, e só falava pelo bem da Grécia, enquanto o outro parecia tirar de dentro de si os motivos para sua animosidade. De resto, o próprio Aquiles, que não era "nem doce nem tratável", mas "um homem duro, e pronto a atacar mesmo os inocentes", permite sem dizer nada a Patroclo que este lhe dirija mil acusações deste gênero:

"Peleu o bom auriga e tua mãe Tétis
Coração impiedoso, jamais tiveram filho algum.
Um mar tempestuoso foi o berço de tua vida
Ou o caos das rochas, pois tua alma é feroz".[133]

O orador Hiperidas, vendo que seus discursos tinham ferido os atenienses, pedia-lhes para examinar, não se suas palavras tinham algo de ferino, mas se eram desinteressadas. Da mesma maneira, as advertências de um amigo, quando estão isentas de toda paixão pessoal, devem ser consideradas respeitáveis, nobres, incontestáveis. E se, afastando as falhas que só dizem respeito a nós mesmos, nos voltássemos com uma inteira liberdade para aquelas que interessam aos outros, seria impossível resistir a uma franqueza cuja doçura daria ainda mais peso e agudeza à advertência. Por isto, diz-se com propriedade que, nos movimentos de humor e nas disputas que nos opõem a nossos amigos, é preciso procurar antes de tudo o que lhes pode ser útil e conveniente.

Não é menos digno de uma amizade generosa, quando acreditamos que estamos sendo desprezados e esquecidos, falar francamente e

---

133. Esta estrofe, a anterior e as citações entre as duas fazem parte da *Ilíada*.

intervir em favor de outros que estão sendo negligenciados. Foi o que fez Platão quando sentiu a suspeita e o descontentamento de Dionísio. Pediu-lhe uma audiência e obteve-a. O príncipe não duvidava de que o filósofo fosse queixar-se e incriminá-lo, mas Platão dirigiu-se a ele mais ou menos nestes termos: "Se tu soubesses, Dionísio, que um de teus inimigos havia desembarcado na Sicília com maus propósitos, permitirias que ele reembarcasse e deixarias que saísse impune de teus Estados? – Não, sem nenhuma dúvida, Platão – respondeu Dionísio –, pois é preciso odiar e castigar a má vontade de seus inimigos tanto quanto seus crimes. – Mas – continuou Platão –, se um homem bem-intencionado viesse para prestar-te um serviço importante e apenas tu fizesses com que ele não tivesse esta oportunidade, acreditas estar livre do reconhecimento em relação a ele e poder tratá-lo com desprezo? – De que homem é que tu falas? – perguntou Dionísio. – De Esquino – ele prosseguiu –, um dos mais virtuosos discípulos de Sócrates, o mais doce em seus costumes, o mais capaz de formar para o bem aqueles que o frequentam. Ele atravessou os mares para poder estabelecer relações filosóficas contigo e se encontra negligenciado". Este discurso fez uma tal impressão sobre Dionísio que, admirando a grandeza de alma e a nobreza de Platão, ele abraçou-o e tratou em seguida Esquino com sinais e marcas de liberdade.

A irrisão deve ser excluída da franqueza.

27. Em segundo lugar, é preciso, de algum modo, todo traço de insolência, de ridículo, de bufoneria, ou de irrisão: pois não passam de maus temperos que devem ser suprimidos de toda linguagem franca. Um cirurgião, procedendo a uma incisão, tem necessidade de agir com muita delicadeza e destreza rigorosa, e sua mão deve evitar qualquer descuido, qualquer gesto excessivamente minucioso que possa fazer com que hesite, se desvie, se perca. Da mesma maneira, a franqueza pode admitir muito bem a habilidade e a elegância, desde que a benevolência preserve sua dignidade; mas o orgulho, o azedume e a brutalidade, se chegam a irromper, acabam por destruí-la e assinalam seu desaparecimento. Por este motivo, espiritual e sem réplica, foi a reflexão do tocador de lira que calou a boca de Filipe (que começara a discutir com ele sobre a maneira de dedilhar as cordas): "Senhor – disse ele –, o céu vos proteja de ser tão infeliz para saber isto melhor do que eu!" Mas Epicarno não respondeu com tanta sabedoria assim a Hieron, que o convidava para cear poucos dias depois de ter dado morte a vários de seus amigos. "Só me convidas porque sacrificaste teus amigos." Importuna foi igualmente a resposta de Antifon que, enquanto discutia com Dionísio para saber qual era o melhor bronze, respondeu: "O que serviu aos atenienses para fundir as estátuas de Armodios e Aristogiton". O que estas advertências têm de amargo e de cáustico não corrige, e o que têm de grotesco e de fútil está longe de poder divertir. Ora, este gênero de atitude implica uma falta de controle, misturada com violência e malevolência, que não deixa de provocar o ódio. Ao subscrevê-la, provocamos nossa própria perda, por termos, como se diz, "Dançado perto demais do poço". De fato, Dionísio condenou Antifon à morte. Timageno perdeu as boas graças de César, não porque tenha alguma vez falado com excesso de liberdade, mas porque nos banquetes e nas conversas, sem ter a mínima intenção séria, mas tão somente com o propósito de "divertir os argianos", permitia-se a qualquer pretexto brincadeiras ofensivas, que acreditava autorizadas pela amizade. Por certo os autores cômicos também compuseram para a cena numerosos e severos ataques satíricos que visavam à política, mas essa mistura de irrisão e bufoneria criadas para a encenação retiravam da franqueza, tal qual um molho picante misturado a vários pratos, sua eficiência e utilidade. Elas conferiam aos poetas uma reputação de maldade e de imprudência, enquanto, por outro lado, o público não conseguia extrair qualquer proveito dessas tiradas. Em outras matérias, devemos sempre, naturalmente, fazer com que nossos amigos se divirtam e riam, mas a franqueza requer seriedade e compostura, e quando a situação é grave, é preciso que o tom, a atitude e a dignidade do discurso gerem confiança e persuasão.

O propósito inoportuno e frustrado faz abortar as coisas mais importantes, mas sobretudo faz com que a franqueza se torne inútil; é preciso, portanto, banir o vinho e a embriaguez, pois evidentemente é cobrir com nuvens a serenidade de um belo céu, misturarmos à diversão e ao bom humor de um ambiente palavras que fazem as sobrancelhas se erguerem e espalham a tristeza nos rostos. É declarar-se inimigo de um deus libertador que, segundo Píndaro, "retira a cadeia das expectativas penosas". Aliás, este contratempo comporta um inconveniente grave: o vinho conduz à cólera e acontece com frequência que a embriaguez, em contato com a franqueza, engendre o ódio. Em suma, há mais covardia que nobreza e coragem em se calar quando estamos sóbrios e só ousar falar com ousadia no meio de uma refeição, como os cães medrosos que só latem com insistência quando estão em volta das mesas. Mas é inútil insistir sobre este aspecto.

A franqueza deve interessar os homens favorecidos pela sorte.

28. Muitas pessoas acham que não é conveniente advertir os amigos na prosperidade; não ousam fazê-lo pois acreditam que o êxito é absolutamente inacessível às advertências e se situa fora de seus alcances; em contrapartida, será que seus amigos experimentaram algum revés que está a abatê-los e humilhá-los? Eles os atacam. Caíram, estão estendidos no chão ao alcance das pancadas? Eles pisam e se lançam sobre eles, como uma torrente aprisionada em seu curso, a cascata vertiginosa de sua linguagem franca, felizes em se aproveitar desse revés da fortuna para poder se vingar dos desdéns de outrora e de sua fraqueza atual. Também não é inconveniente estender-se um pouco sobre a pergunta contida na fórmula euripidiana e tentar respondê-la:

"Que necessidade se tem dos amigos quando fizemos fortuna?"[134]

Na verdade, são as pessoas felizes que precisam sobretudo de amigos que lhes falem com franqueza e diminuam sua tagarelice orgulhosa: pois há poucos homens que conseguem manter-se sábios na prosperidade. A maior parte tem necessidade de uma moral de empréstimo e raciocínios que reprimam na aparência a presunção e a agitação causadas pelos grandes sucessos. Mas quando a fortuna derruba seu orgulho junto com sua prosperidade, este revés é por si só uma advertência bastante forte para levá-los ao arrependimento. Então não têm necessidade

---

134. Verso conferido a Eurípides na tragédia *Orestes*.

das admoestações severas e mordazes. Mas, na verdade, neste tipo de infelicidade,

"É doce encontrar um olhar benevolente",[135]

o de um homem cuja presença nos console e reconforte. Da mesma maneira, no meio dos combates e dos perigos, segundo Xenofonte, o rosto doce e humano de Clearco reforçava a coragem diante do perigo. Mas proferir palavras mordazes e no entanto cheias de franquezas a um homem infeliz equivale a submeter um olho doente e inflamado a uma luz demasiado viva. Longe de curar ou de acalmar seu mal, amarguramos, ferimos um coração já abalado. Pois, um homem saudável escuta tranquilamente um amigo que lhe adverte, não se irrita nem se perturba com as admoestações de um amigo que aponta suas ligações e bebedeiras, sua preguiça em fazer esporte, a frequência de seus banhos, suas comilanças intempestivas. Mas está doente? Vós vos tornareis insuportável, agravareis o seu estado ao lhe dizer que deve sua doença à intemperança, à moleza, à amante e ao comércio das mulheres: "Como és importuno, meu pobre homem! – ele dirá. – Eu faço meu testamento: os médicos me preparam o castóreo ou a escamônea,[136] e tu me dás lição de moral". É que a infelicidade não demanda nem franqueza nem sentenças morais, mas palavras de doçura e de consolo. Com efeito, quando as crianças caem, as amas não correm para castigá-las, mas para levantá-las, arrumá-las, acalmá-las; e só depois de fazer tudo isto é que elas consideram a necessidade de punir e de repreender. Diz-se que Demétrios de Falera, banido de sua pátria, e levando nas paragens de Tebas uma vida de abandono e de miséria, viu um dia com aflição aproximar-se dele Crates, de quem temia a liberdade cínica e o discurso áspero. Ora, este se dirigiu a ele com doçura, disse-lhe que o exílio não era uma condição prejudicial da qual devesse se afligir, pois ela o libertava da incerteza e da inconstância das coisas; ao mesmo tempo, exortou-o a procurar em si mesmo sua força e seu consolo. Demétrios, encantado com seu discurso, e retomando coragem, disse a seus amigos: "Ah! Como desprezo hoje os cuidados e os negócios que me impediam de estimar um homem como este!":

---

135. Verso conferido a Eurípides.
136. Planta de que se extrai uma resina com propriedades purgativas.

"Um amigo bondoso conforta o aflito
Mas sabe contradizer um espírito insensato".[137]

É assim que os amigos generosos agem. As almas baixas e vis, os aduladores da prosperidade, assemelham-se, como diz Demóstenes, "às fraturas e ferimentos cuja dor desponta ao menor acidente". Eles vos insultam no revés e parecem desfrutar disso tranquilamente. Pois se temos necessidade de uma observação nas ocasiões em que, por nosso próprio erro, experimentamos um fracasso por termos sido mal aconselhados, basta que nos digam:

"Eu sustentei, tu o sabes, uma opinião contrária.
Para te dissuadir eu fiz tudo que me era possível".[138]

A ocasião é mãe da franqueza.

29. Em que circunstâncias se faz necessário, portanto, que um amigo se mostre solícito e quando deve empregar os tons da franqueza? É quando, sofrendo os assaltos da volúpia, da cólera ou da violência, temos a oportunidade de cortar as asas da cupidez ou de nos opormos a uma inconsciência tola. Assim Sólon, vendo Cresto orgulhar-se de uma felicidade efêmera, advertiu-o para que pensasse em seu fim incerto. Do mesmo modo Sócrates, este censor de Alcibíades, soube contê-lo levando-o até as lágrimas e lhe tocar no coração. Tais foram também as advertências de Ciros a Ciáxaros[139] ou de Platão a Dionísio. Na época de fausto onde este último atraía, pela beleza e pela grandeza de seus empreendimentos, a admiração do universo, o filósofo advertia-o para se resguardar com temor "de uma confiança presunçosa que se avizinhava da solidão". Foi para ele também que Spêusipos[140] escreveu dizendo que ele não devia envaidecer-se porque as mulheres e as crianças lhe rendiam louvores, mas pelo cuidado em dar à Sicília os requisitos de piedade, de justiça e de excelente legislação para honrar a Academia.

---

137. Versos atribuídos a Eurípides.
138. Versos da *Ilíada*.
139. Refere-se à *Ciropédia*.
140. Filósofo de Atenas, sucedeu Platão.

Euctos e Eulaios, companheiros de Perseu, não o deixavam no tempo da prosperidade e não deixavam de agradá-lo em tudo e de louvá-lo. Mas quando ele foi vencido e derrotado pelos romanos na batalha de Pidna, eles o cobriram com as mais amargas reprovações, e lhe apontaram com detalhes seus erros e negligências nos termos mais ofensivos, a tal ponto que esse príncipe infeliz, ultrajado pela dor e pela cólera, matou a um e ao outro com seu punhal.

30. Estas são de um modo geral as ocasiões em que se deve falar livremente; mas não se pode negligenciar aquelas que nos são oferecidas por nossos amigos. Com frequência, uma questão, uma narrativa, a censura ou o elogio, concedidos aos mesmos atos a propósito de pessoas diferentes, nos dão uma abertura natural para falar com franqueza. Demarato, por exemplo, foi, é o que se conta, de Corinto para a Macedônia na época em que Filipe estava em litígio com sua mulher e com seu filho. Como, depois de uma acolhida calorosa, este príncipe lhe perguntasse se os gregos viviam entre si em bom termo, Demarato, que era um amigo devotado dele, respondeu-lhe: "De que vale, Filipe, querer saber sobre a concórdia entre os atenienses e os peloponesos, e ver com um olhar indiferente teu próprio palácio onde reinam as dissensões e os conflitos". Boa atitude também foi a de Diógenes que, vindo ao campo de Filipe enquanto este marchava contra os gregos, foi levado à presença do príncipe que, não o conhecendo, perguntou se era um espião. "Um espião, Filipe, sim – ele respondeu –, vindo para observar tua imprudência e tua loucura que te fazem, sem qualquer necessidade, jogar como se fossem dados tua coroa e tua vida."

31. Essa resposta talvez fosse livre demais; mas uma outra ocasião favorável para advertir o amigo é quando ele está humilhado e confuso por causa das reprimendas que outros lhe fizeram a propósito de seus erros. É uma circunstância da qual deve tirar bom partido um homem de tato que, ao afastar para bem longe os censores, chamaria seu amigo à parte para fazê-lo compreender que na falta de outras razões ele deve emendar-se, pelo menos para prevenir a arrogância de seus inimigos: "Por que eles têm assuntos para abrir a boca, que têm eles a te dizer se tu negas, rejeitas, de que te valem estas críticas?" Deste modo, com efeito, o insultador fere, o admoestador presta um serviço. Certos levam a elegância ao ponto de encaminhar seus amigos pela via reta ao criticar os terceiros, pois é em outro que eles estigmatizam os comportamentos que sabem ser os de seus amigos. Nosso mestre Amônios[141] descobriu um dia, durante a palestra depois do meio-dia, que certos discípulos tinham feito uma refeição lauta demais; ele ordenou então a seu liberto infligir uma correção a um pequeno escravo ligado à sua pessoa comentando: "Não há refeição sem vinagre!" Ao dizer isto, lançou sobre nós um olhar a fim de que os culpados assumissem por sua conta a reprimenda.

A franqueza não dispensa a discrição.

32. Evitemos ainda repreender nossos amigos em público, e meditemos sobre esta atitude de Platão. Vendo Sócrates atacar vivamente um de seus discípulos durante um banquete, ele disse-lhe: "Não seria melhor dirigir-lhe estas reprimendas em particular?" Ao que Sócrates retrucou: "E quanto a ti? Não podias esperar, para me dizer, quando estivéssemos a sós?" Diz-se que Pitágoras fez publicamente a um de seus epígonos uma observação tão violenta, que o rapaz se enforcou de desespero. Depois desse acontecimento, o grande homem nunca mais repreendeu ninguém diante de uma testemunha. O vício com efeito é uma doença vergonhosa cujo tratamento e cuja revelação devem ser secretos e privados; longe de mostrá-los ostensivamente, é preciso evitar espectadores e testemunhas. É próprio de um sofista e não de um amigo querer sobressair pelos erros dos outros, e de exibir-se como esses charlatães que fazem suas operações no palco dos teatros para atrair clientes. É sem brutalidade (e é legítimo não recorrer a ela em qualquer terapêutica) que se deve considerar o aspecto obstinado e impertinente do vício. Não é tão somente "o amor que recusado se torna ainda mais solícito", como diz Eurípides, mas são os vícios e todas as paixões que, depois de serem precocemente repreendidas em público, não se contêm mais. Platão deseja que os velhos, para inspirar respeito aos jovens, sejam os primeiros a

---

141. Filósofo platônico, mestre de Plutarco em Atenas. Plutarco faz várias referências a ele em suas obras.

mostrá-los diante dele. De igual maneira, a franqueza dos amigos, cheia de escrúpulos, é aquela que inspira mais vergonha. A delicadeza e a doçura com as quais nos dirigimos a um culpado acertam em cheio e destroem o vício; ele fica inteiramente confuso diante da contenção que demonstramos. Motivo pelo qual este verso é excelente:

"Ele aproxima sua cabeça para que ninguém o ouça".[142]

Nada, por exemplo, é menos conveniente do que apontar os erros do marido quando a mulher escuta, do pai diante dos olhos de seus filhos, do mestre diante do discípulo. Ficamos profundamente afligidos e indignados quando somos humilhados diante das pessoas das quais queremos brilhar. Se Cleitos irritou Alexandre, não foi tanto, ao que me parece, por causa de sua embriaguez como por despeito ao se ver repreendido publicamente. Quando Aristomenos, governador do rei Ptolomeu, despertou este príncipe que adormecera durante uma audiência concedida a embaixadores, os aduladores aproveitaram a ocasião para causar sua perdição; e afetando a mais viva indignação, como se a honra do príncipe estivesse em jogo, disseram-lhe: "Se tantas fadigas e vigílias fizeram com que cochilasses, é em particular que é preciso advertir-se, em vez de colocar a mão sobre ti diante de uma assembleia tão grande..." E o príncipe enviou a seu mestre uma taça com veneno com ordem para que a bebesse. Aristófanes nos conta que Cleon lhe imputava como crime o fato de "falar mal da Cidade diante de estrangeiros" e que assim excitava os atenienses ao ódio. Jamais empreguemos pois a franqueza diante de terceiros se temos o desejo não de brilhar em público ou de arrastar multidões, mas de fazer da franqueza um uso salutar e terapêutico.

Necessidade da autoridade moral

Aquele que fala com franqueza deveria aplicar a si mesmo esta bela expressão que Tucídides põe na boca dos coríntios quando eles dizem a respeito de si mesmo "que são dignos de apontar a culpa do outro". Um deputado de Megara, na assembleia dos confederados, exprimia verdades em nome da Grécia. "Teus discursos – disse-lhe Lisandro –,

---

142. Verso da *Odisseia*.

precisariam de toda uma cidade." Pode-se dizer o mesmo, e nada é mais verdadeiro para quem se dispõe a corrigir os outros, que a franqueza tem necessidade de costumes puros. Platão dizia que a vida de Spêusipos era uma lição contínua. Assim, quando Polemon entrou para a escola de Xenocrates, o olhar desse filósofo foi suficiente para que se emendasse e se dedicasse à virtude. Mas quando um homem leviano e sem valor moral se põe a falar com franqueza, podemos retorquir-lhe:

"Coberto de pústulas, queres cuidar dos outros".[143]

Devemos incluir a nós mesmos na crítica que dirigimos ao outro.

33. No entanto, como em geral são pessoas questionáveis com interlocutores do mesmo tipo que as circunstâncias conduzem a dar lições, a maneira mais conveniente de fazê-lo seria nos incluirmos de algum modo na censura que fazemos quando usamos a franqueza. É nesta perspectiva que se diz:

"Rebento de Tideu, o que nos acontece
Que nos faz esquecer nosso coração tão ardente?"

e

"Contra Heitor sozinho nossas mãos são impotentes".

Citemos também Sócrates que ensinava os jovens sobre seus erros empregando manobras infinitas. Ele parecia estar, igual a eles, na ignorância e aplicar-se à prática das virtudes e à procura da verdade. De boa vontade temos confiança e dedicamos nossa amizade a quem parece ter cometido os mesmos erros que nós, e deseja repará-los. Mas aquele que, ao corrigir os outros, se considera um homem irrepreensível e isento de toda paixão, a menos que tenha sobre uma grande superioridade de idade ou uma reputação de virtude bem estabelecida, torna-se odioso, insuportável, e torna suas admoestações inúteis. É pois com toda a correção que Fênix em Homero, repreendendo Aquiles em sua cólera,

---

143. Verso de Eurípides.

conta as infelicidades que essa paixão lhe havia causado, o propósito que ela lhe inspirara de matar seu pai, propósito que ele logo abandonou por temor de

"Carregar entre os gregos o nome de parricida".[144]

Ele não deseja, advertindo Aquiles, fazer crer que ele próprio era incapaz de se entregar à cólera e ao arrebatamento. Este tipo de reprimenda penetra no coração de maneira persuasiva, e nós cedemos sem resistência a quem, longe de nos desprezar, parece condescender com nossas fraquezas.

É possível misturar um elogio discreto com a crítica.

Um olho inflamado não pode tolerar a luz do dia, nem também uma alma tomada por uma paixão violenta uma reprimenda sem concessão feita com excessiva franqueza. O meio mais seguro de fazê-la aceitar é inserir algum elogio discreto, como nestes versos:

"Que vergonha, guerreiros, esquecer o valor!
Se outros recuassem e cedessem ao medo,
Eu me calaria; mas vós, a honra do nosso exército,
Cheios de medo... Ah! Minha alma está indignada"

ou então:

"Onde estão, Pandarus, este arco, estas flechas aladas
Este grande renome que ninguém aqui igualou?"[145]

Fica bem claro que exortações como estas revigoram os espíritos abatidos:

"Este aqui é Édipo e seu famoso enigma?"

e ainda:

"É assim que se exprime a sombra do grande Hércules".[146]

---

144. Estes versos e os anteriores fazem parte da *Ilíada*.
145. Versos da *Ilíada*.
146. Este verso e o anterior são conferidos a Eurípides.

Assim não somente atenuamos o que a reprimenda tem de duro e imperioso, como ainda enchemos de ânimo um coração que, ao se lembrar de suas belas ações, sente vergonha de seus erros e a quem propomos a si mesmo como modelo do bem que deve fazer.

Não elogiar um terceiro pelo viés da crítica a um outro.

Quando ao contrário fazemos um paralelo a outras pessoas, por exemplo da mesma idade, da mesma cidade ou da mesma família, a obstinação natural do vício se exaspera e se irrita; em geral ela tem prazer em responder com cólera: "Por que então não te ligas a estas pessoas que valem mais do que eu? Por que continuas a me importunar?" Evitemos, pois, ao advertir alguém, de fazer o elogio de um outro, a menos que seja o de seu próprio pai, como faz Agamenon:

"Como o filho de Tideu é pouco digno dele!"[147]

e Ulisses na tragédia *Cirianos*:

"Do mais valente dos gregos, filho degenerado,
Manchaste o brilho de um nome tão reverenciado!"[148]

Evitar a polêmica

34. Nada é menos decente do que opor reprimenda à reprimenda e franqueza à franqueza. É o meio de inflamar imediatamente a cólera e de fazer nascer o ódio. Disputas desse tipo caracterizam em geral não uma franqueza recíproca, mas uma debilidade que se ofende com a do outro. É melhor, portanto, receber com tolerância as reprimendas de um amigo; e se ele próprio, em seguida, por ter caído no mesmo erro, tem necessidade de nosso conselho, a franqueza que ele usou para conosco autoriza a nossa a seu respeito. Temos o direito de lembrar a ele, sem o menor ressentimento, que ele próprio tem por costume mostrar a seus amigos os erros deles e que tais erros foram o objeto de suas reprovações e de suas advertências; e essa lembrança irá torná-lo mais

---

147. *Ilíada*.
148. Eurípides.

acessível e mais paciente diante de uma correção que ele sente estar ditada, não por um desejo de represália e de recriminação, mas por um sentimento de benevolência e de amizade.

Devemos reservar as críticas para os casos excepcionais.

35. Acrescentemos este dito de Tucídides: "Quando visamos a grandes propósitos, diminuímos a hostilidade do outro". Assim, um amigo pode correr o risco de desagradar por suas admoestações, quando o objeto tem importância e é até mesmo excepcional. Se pelo contrário, assumindo o tom menos de um amigo do que de um pedante, ele se mostra áspero em relação a bagatelas, seus conselhos nas conjunturas capitais perderão sua força e seu efeito, porque terá abusado da franqueza igual a um médico que aplicasse a doenças leves um medicamento pesado e amargo mas dispensável e oneroso, que só se recomenda em casos críticos. Assim é que devemos evitar com cuidado essa propensão a condenar. Mas se acontece que o outro, enfatizando as menores futilidades, procura transformar tudo em crime, então estamos diante da oportunidade de apontar erros bem mais consideráveis. O médico Filotimos disse um dia a um doente, vítima de um abscesso no fígado, que lhe mostrava um dedo cheio de pus: "Meu amigo, não é no panerício que reside o teu problema". Pois bem, um amigo pode estar diante da oportunidade de dizer a um homem que denuncia tristezas sem importância e sem peso: "Para que falarmos de diversões, de bebidas e bagatelas? Escute, meu caro, deixe que ele mande embora sua amante e pare de jogar dados. Quanto ao resto, julgaremos que se trata de um homem admirável". Perdoar facilmente os pequenos erros é adquirir o direito de repreender os mais importantes sem desagradar. Mas aquele que, verdadeiro modelo de azedume e amargura, enfatiza tudo com escrúpulo, e não deixa passar nada, torna-se insuportável para seus filhos, para seus irmãos, e se torna detestado até mesmo por seus escravos.

Sejamos benevolentes na crítica.

36. Nem tudo é desagradável na velhice, diz Eurípides. De igual maneira, todos os males não se encontram reunidos nas imperfeições de nossos amigos. É necessário, portanto, observar não somente o mal, mas ainda o bem que eles podem fazer, e começar por louvá-lo de coração aberto. Quando o ferro foi amolecido e dilatado pelo fogo, passamos a temperá-lo, tornando-o mais denso e mais afiado.

O mesmo acontece quando ao animarmos um amigo com o elogio, conseguimos temperar, por assim dizer, sua alma, empregando com doçura a franqueza. É a hora de dizer-lhe: "Tuas últimas ações são dignas das anteriores? Repara no bem que a virtude produz. Eis o que te pedimos, nós os teus amigos, eis o que é próprio de ti; é para isto que nascestes; quanto ao restante, pelo contrário, é preciso lançá-lo para longe

"Nos montes e na espuma do mar que brame".[149]

Pois, como um médico cheio de compaixão pode curar a doença de seu paciente pelo sono e pela alimentação em vez de empregar o castóreo e a escamônea, também um amigo verdadeiro, um pai terno, um bom preceptor, quando quiser nos corrigir, irá preferir sempre o elogio à reprovação. Nada torna as reprimendas menos penosas e mais salutares do que evitar sobrecarregá-las com o arrebatamento e empregar o tom da doçura e da afeição. Não há necessidade de convencer com dureza os que desaprovam seu erro, nem porque nos recusamo a ouvir suas justificativas, mas é preciso ao contrário sugerir-lhes meios honestos de defesa, fechar os olhos ao que sua causa tem de desvantajoso para vê-la sob uma luz favorável. É o que Heitor faz quando diz a seu irmão:

"Não é conveniente, insensato infeliz,
Alimentar tanta cólera no coração".[150]

Ele faz com que seu recuo diante do combatente passe não por uma fuga, mas por um efeito de seu arrebatamento. Nestor utiliza o mesmo expediente quando diz a Agamenon:

"Mas cedes ao arrebatamento de uma alma magnânima".[151]

---

149. Eurípides.
150. Versos da *Ilíada*.
151. Versos da *Ilíada*.

Não é mais honesto dizer: "Tu não refletistes" ou "Não sabias" do que dizer "Cometestes uma injustiça, uma ação indigna", ou então: "Não disputes com teu irmão" e "Foge desta mulher que te perde" do que "Deixa de corromper esta mulher"?

A eficácia da franqueza imediata.

Eis como a franqueza deve reparar o mal já cometido; mas como preveni-lo? Para tal, ela deve proceder de outra forma. Trata-se de afastar alguém de um erro que está prestes a cometer, reprimir uma paixão desenfreada, dar força e energia a uma alma fraca e mole que visa a uma ação importante? Então devemos mostrar com veemência a vergonha dos motivos que a levam a agir assim; Sófocles faz com que Ulisses diga a Aquiles, para aguilhoar sua honra, diga-lhe que é menos a cólera que o mantém na inação do que "a visão assustadora das muralhas de Troia". E como Aquiles, indignado, ameace ir embora, Ulisses acrescenta:

**"Desta partida assim tão imediata já conheço o motivo
Finges estar ofendido por uma reprovação assim tão viva,
Mas Heitor está bem perto, e tu não ousas esperá-lo".**

Aqui está como, apontando ao homem enérgico e corajoso a vergonha da covardia, ao homem casto e sábio a da incontinência, a um coração generoso e magnífico a da mesquinharia e da avareza, podemos afastá-los do vício, conduzi-los à virtude. Quanto aos males para os quais não há remédio, é preciso falar com doçura, de maneira que as reprimendas pareçam conter menos censura do que compaixão e dor. Mas trata-se de prevenir os fracassos e de combater as paixões que querem se impor? Então é a hora da verdadeira franqueza, que não conhece atenuação. Reprovar os erros cometidos, é o que os inimigos fazem geralmente. Por isto Diógenes dizia que "se quisermos encontrar a salvação, devemos ter bons amigos e inimigos ardentes, porque os primeiros nos dão lições e os segundos nos censuram". Ora, é preferível evitar os erros escutando as lições a ser levado, sob o efeito da condenação, ao arrependimento por tê-los cometido. É uma razão suplementar para mostrarmos engenhosidade mesmo quando falamos sinceramente, pois a franqueza é para a amizade o remédio mais revigorante e mais eficaz, que requer sem cessar e no grau mais alto um espírito conveniente e um temperamento cheio de doçura.

Sobre o apaziguamento

37. Já que a franqueza é em geral penosa para aquele que queremos curar, é preciso imitar os médicos. Quando fazem uma incisão, eles não abandonam à dor e ao sofrimento a parte doente: empregam com doçura as irrigações e loções. De igual maneira aqueles que sabem repreender com habilidade não irão embora depois de ter proferido uma reprovação severa e incisiva. Mas com conversas de outro gênero, com palavras amáveis, irão se empenhar em atenuar o azedume de suas palavras. Assim também fazem os artistas que trabalham a pedra: quando, à força dos golpes dos cinzéis, eles esculpiram uma estátua, em seguida dão-lhe polimento e brilho. Mas se, com o chicote da franqueza, batemos até provocar feridas, se, quando o paciente está exasperado, só o deixamos depois de tê-lo coberto de tumores e convulsões, a cólera vai impedir que ele retorne, e as palavras não terão mais nenhum efeito sobre ele. Trata-se, portanto, de um erro que devemos evitar a todo custo. Evitemos pois com maior cuidado, quando tivermos repreendido nossos amigos, deixá-los rapidamente, e concluir nossa conversa com palavras mordazes que possam humilhá-lo.

Vida de Plutarco

"Plutarco é sempre admirável, principalmente quando contempla as ações humanas."
Montaigne

As datas aproximadas da biografia de Plutarco estabelecem seu nascimento um pouco antes do ano 50 d.C. e sua morte por volta de 120 d.C. Pertence à literatura grega do período romano, à antiguidade tardia, e sua existência transcorreu durante os impérios de Nerva (96-98 d.C.), de Trajano (98-117 d.C.) e Adriano (117-138 d.C.), em plena "Pax Romana". Natural de Queroneia, na Beócia, uma pequena cidade perto de Parnassos, onde Filipe da Macedônia havia vencido os atenienses. Ainda jovem, Plutarco foi para Atenas estudar com o filósofo platônico Amônios. Entre suas viagens constam visitas a Alexandria, a várias partes da Itália, da Grécia e ao centro do império, Roma; ao que parece suas estadias em Roma foram breves e Plutarco não chegou a dominar o latim. A este propósito, vale lembrar aqui um comentário de sua autoria em que declara que jamais pôde dispor "de lazer enquanto ali estava para estudar e exercitar a língua latina, tanto para os negócios que então tinha que fazer quanto para satisfazer aqueles que vinham aprender a filosofia comigo". No entanto, deve ter gozado de bastante prestígio em Roma, já que recebeu a cidadania romana. Viveu, portanto, a maior parte do tempo em Queroneia, deixando em seus escritos uma imagem bastante vívida de sua existência privada e pública. Exerceu funções políticas e administrativas, consagrou parte de seu tempo a dar palestras e, além disso, foi sacerdote do templo de Apolo em Delfos, cidade relativamente próxima de Queroneia.

Sua obra principal é *Vidas paralelas (Bioi paralleloi)*, em que agrega em 22 pares a vida de gregos e romanos – estadistas ou militares –, além de quatro vidas isoladas. Depois de cada uma das biografias do par escolhido (por exemplo, Cícero e Demóstenes, Brutus e Díon), seguem-se alguns breves parágrafos (síncrese) de comparação. Deixemos Plutarco definir seu propósito neste trecho da *Vida de Alexandre*: "Não escrevemos história, e sim biografias, e as virtudes e os defeitos não se manifestam principalmente nas ações mais brilhantes. Ao contrário, muitas vezes um fato banal, uma palavra, um gracejo, revelam melhor o caráter do que combates nos quais resultam milhares de mortos, do que as batalhas campais e os cercos mais importantes." Este princípio deixa entrever o convívio íntimo entre as qualidades do moralista, de psicólogo e de narrador que constituem a glória literária de Plutarco. A clara intenção moral está expressa por Plutarco nos seguintes termos na sua biografia de Péricles: "Devemos então investigar o que há de melhor, não nos limitando à sua contemplação, mas fazendo desta contemplação o alimento de nosso espírito. (...) Devemos dirigir o pensamento para os espetáculos que, por meio da atração exercida pelo prazer, conduzem ao bem que lhes é próprio. Esses espetáculos são as ações inspiradas pela virtude, que incutem naqueles que tomam conhecimento delas um desejo de emulação e um ardor que os impelem a imitá-las". Convém acrescentar que a obra *Vidas paralelas* não se resumiria aos tópicos que chegaram até nós, pois Plutarco teria escrito biografias de filósofos e poetas que acabaram se perdendo.

Os dois tratados traduzidos nesta edição fazem parte das *Obras morais* (as *Moralia*) – em grego, *Syggrâmata Ethiká* –, um conjunto de 83 opúsculos. Ainda que a maior parte dos tratados refira-se a questões morais (exemplos: *Da virtude moral, Da tranquilidade da alma, Preceitos conjugais, Sobre o controle da ira*), há tratados sobre questões religiosas (como *Sobre os oráculos de Pítia, Sobre a obsolescência dos oráculos*), sobre literatura (por exemplo, *Como se devem ouvir os poetas* e *Sobre a malignidade de Heródoto,* em que acusa Heródoto de distorcer os fatos) e sobre filosofia, com discussões sobre o estoicismo, o epicurismo e o platonismo. *Os ensaios morais* incluem ainda as *Quaestiones conviviales (Conversas à mesa)*, diálogos entre filósofos, retóricos, etc. sobre os mais variados tópicos. Os exemplos extraídos da vida de homens famosos e o tom dialogado de seus escritos inscrevem-se como características da prosa e do estilo de Plutarco nas *Obras morais*. Plutarco professava a filosofia platônica e estes tratados revelam esta influência assim como a dos estoicos, mas, como observam os especialistas em sua obra, trata-se de um estoicismo revisto, despojado de sua rigidez e temperado pela afetividade, preservando a marca essencial dos estoicos, a serenidade soberana, feita de equilíbrio, a *euthumia*. Plutarco rejeitou o epicrismo, escrevendo um opúsculo cujo título, na tradução latina, diz: "*Non posse suaviter vivi secundum Epicurum*" ("Não é possível viver agradavelmente segundo a doutrina de Epicuro").

Quase não há verbete ou ensaio sobre Plutarco que deixe de mencionar Montaigne e Shakespeare. O autor dos *Essais* leu Plutarco na tradução de Jacques Amyot (1513-1593); Shakespeare, grande leitor de Montaigne, leu Plutarco na versão de *Sir* Thomas North que, por sua vez, se baseou nas traduções de Amyot. E foi a leitura de *Vidas paralelas* que conduziu Shakespeare a escrever *Júlio César, Coriolano* e sobretudo *Antônio e Cleópatra*. Montaigne, íntimo das *Questões morais*, disse o seguinte em sua *Defesa de Sêneca e Plutarco*: "Minha intimidade com esses filósofos, a ajuda que me proporcionam em minha velhice e também este meu livro escrito quase unicamente com o que deles tirei, constituem como que a obrigação, para mim, de lhes defender o nome". Mais tarde, Ralph Waldo Emerson, o autor de *Homens representativos,* no qual escreve sobre Montaigne e Shakespeare, refere-se assim a Plutarco: "Mas se exploramos a literatura do heroísmo, logo chegaremos a Plutarco, que é o seu doutor e historiador. A ele devemos Díon, Epaminondas, Cipião o Velho; e penso mesmo que estamos mais profundamente endividados com ele do que com os outros escritores da Antiguidade".

MADRAS® Editora

Para mais informações sobre a Madras Editora, sua história no mercado editorial e seu catálogo de títulos publicados:

Entre e cadastre-se no site:

www.madras.com.br

Para mensagens, parcerias, sugestões e dúvidas, mande-nos um e-mail:

marketing@madras.com.br

SAIBA MAIS

Saiba mais sobre nossos lançamentos, autores e eventos seguindo-nos no facebook e twitter:

@madrased

/madraseditora